QUICK BRAZILIAN PORTUGUESE!

JACK SCHOLES

QUICK BRAZILIAN PORTUGUESE!

Over 1,000 common everyday phrases
and 3,000 essential words

With Audio CD

DISAL
EDITORA

Preparação de texto
Larissa Lino Barbosa / Verba Editorial

Capa e projeto gráfico
Paula Astiz

Editoração eletrônica
Laura Lotufo / Paula Astiz Design

Assistente editorial
Aline Naomi Sassaki

Ilustrações
Carlos Cunha

CD
Produtora: jm produção de áudio
Locutores: José Mario Velasco, Michael Miller e Shirly Gabay

Dados Internacionais de Catalogação na Publicação (CIP)
(Câmara Brasileira do Livro, SP, Brasil)

Scholes, Jack

Quick Brazilian Portuguese! : over 1,000 common everyday phrases and 3,000 essential words / Jack Scholes. – Barueri, SP : DISAL, 2014.

Inclui CD
ISBN 978-85-7844-155-5

1. Português - Estudo e ensino - Estudantes estrangeiros I. Título.

13-13922 CDD-469.824

Índices para catálogo sistemático:
1. Português para estrangeiros 469.824

DISAL EDITORA

Alameda Mamoré 911 – cj. 107
Alphaville – BARUERI – SP
CEP: 06454-040
Tel./Fax: (11) 4195-2811
Visite nosso site: www.disaleditora.com.br
Televendas: (11) 3226-3111

Fax gratuito: 0800 7707 105/106
e-mail para pedidos: comercialdisal@disal.com.br

Contents
Sumário

Introduction
Introdução

Portuguese is a beautiful language. It is also the fifth most spoken language in the world, with almost 200 million native speakers in Brazil alone. With *Quick Brazilian Portuguese* you will be able to understand and speak Brazilian Portuguese very quickly and effectively. You can also use all the words and expressions in this book in any country where Portuguese is the native language.

You may be surprised to find that Portuguese is not as difficult as you might have imagined. If you already know any Romance languages, like French, Spanish or Italian you will soon notice that there are many similarities with Portuguese, which also belongs to the Romance family of languages.

The English language also has a lot of Latin influence, and many words in Portuguese have the same root as English words. Sometimes the words in English and Portuguese are the same or very similar. For example:

ENGLISH	PORTUGUESE	ENGLISH	PORTUGUESE
moment	momento	bank	banco
repeat	repita	correct	correto
passport	passaporte	fantastic	fantástico

ENGLISH	PORTUGUESE	ENGLISH	PORTUGUESE
goal	gol	radio	rádio
salary	salário	computer	computador
service	serviço	credit	crédito
car	carro	cheque	cheque
information	informação	band	banda
banana	banana	president	presidente

Another piece of good news is that Portuguese has incorporated many English words which have become very common, everyday words, like:

e-mail **mouse** **link** **site** **hot dog** **self-service**

shopping center **laptop** **happy hour** **diet** **van**

piercing **OK** **internet** **pet shop** **airbag**

barman **marketing** **check-in** **home theater** **blush**

In addition to a considerable number of anglicisms, which Portuguese has incorporated, many English words have been slightly modified to look and sound like Portuguese words. For example:

Steak in Portuguese is bife (from 'beef')
Football is futebol
Shampoo is xampu
Delete is deletar

When you start learning a new language it is absolutely natural to make mistakes. This is how you learn. The more you practice, the fewer mistakes you'll make. Enjoy your learning and try to laugh at your own mistakes. The goal is effective communication, not grammatical perfection or native-like fluency. Don't worry about not understanding everything at the beginning. Try to listen for key words to get the gist of what is being said. Also don't feel frustrated about not knowing exactly how to say in Portuguese what you would say in your native language. There are a million and one different ways of expressing the same idea. The important thing is to communicate effectively and efficiently, to understand and be understood. Brazilians are extremely friendly. You will also find that they are incredibly patient and helpful and will thoroughly appreciate and admire your efforts to speak their language.

The book Quick Brazilian Portuguese

Quick Brazilian Portuguese has over 1,000 common, everyday phrases and more than 3,000 essential words in Portuguese.

In the first part of the book you will find the section ***Useful everyday phrases*** that can be used when talking to anybody, in any kind of situation. Here you have a combination of phrases that you will need whenever you want to speak Portuguese, and also very common expressions you will hear quite frequently in conversations. The Portuguese in these sentences is one hundred percent correct, but also quite simple, to allow you to speak in a clear and objective way, and give you confidence to communicate in the new language.

In the second part of the book ***Common everyday situations*** you will find words and phrases which are especially useful in specific everyday situations, such as the hotel, restaurant, entertainment, sports, tourism, transport, business, health and emergencies.

Throughout the book there are numerous extremely useful and important **TIPS**. These include tips about the Portuguese language to help you speak and understand the language that is used in everyday life, and also information about the Brazilian culture and way of life.

At the back of the book there are also several appendices for quick reference: ***The Portuguese alphabet / Numbers / Days of the week, months, seasons of the year / Countries and nationalities / Verbs in Portuguese***.

At the end there is a ***Mini Dictionary English-Portuguese / Portuguese-English*** with over 1,200 extra words, which have been specially selected, and that are not in the other sections of the book.

Quick Brazilian Portuguese comes with an audio CD for you to listen to, repeat, practise and improve your Portuguese.

There is no specific order in the book for you to follow. You can, and should, study what you want, when you want. It is essential to study regularly, even if only for a short time. The important thing is to commit to the goal of proudly and confidently communicating effectively with anyone in Portuguese.

I sincerely hope that this book will also help you to learn to appreciate the fascinating richness of the language and culture of Brazil, both of which I have come to love in over thirty years living and working in this beautiful country.

Enjoy!

Jack Scholes

Useful everyday phrases
Frases úteis para o dia a dia

Greetings - CD Track 1
Saudações

In all informal situations you can say:

Hi!
Oi!

or

Hello!
Olá!

Depending on the time of day you can also say:

Good morning.
Bom dia.

Good afternoon.
Boa tarde.

Good evening.
Boa noite.

After greeting someone, it is common to ask:

How are you?
Como vai?

And you reply:

Good.
Bem.

Pretty good.
Muito bem.

Fine, thank you.
Bem, obrigado (men).
Bem, obrigada (women).

Very well, thank you.
Muito bem, obrigado (men).
Muito bem, obrigada (women).

If you wish, you can also then ask

And you?
E você / e o senhor / e a senhora?

TIP DICA

YOU VOCÊ / O SENHOR / A SENHORA

In Portuguese - 'you' - is - você - (and sometimes - tu - depending on the region). With older people, or to show respect, use - o senhor - when addressing a man, and - a senhora - when speaking to a woman. For example:

Do you live here?
Você mora aqui? (informal)
O senhor mora aqui? (formal - speaking to a man)
A senhora mora aqui? (formal - speaking to a woman)

If you use a person's name in a formal situation, you use - Senhor - and - Senhora - followed by their first name. For example: Senhor Antônio / Senhora Glória

It is also very common to address women formally or respectfully with the word - Dona - and their first name. For example: Dona Cândida

Saying goodbye - CD Track 2
Despedindo-se

To say goodbye you can just say

Goodbye / bye.
Tchau.

or

See you later.
Até logo.

See you tomorrow.
Até amanhã.

See you.
A gente se vê.

Saying thank you – CD Track 3
Agradecendo

To thank someone, if you are a man, you say:

Thank you.
Obrigado.

If you are a woman you say:

Thank you.
Obrigada.

or

Thank you very much.
Muito obrigado (man).
Muito obrigada (woman).

You can reply to someone who thanks you by saying:

You're welcome.
De nada / Por nada.

My pleasure.
O prazer é todo meu.

No problem.
Sem problema.

TIP DICA

THANK YOU OBRIGADO/A

The word obrigado/a must always agree grammatically with the person who is saying it. So, a man or boy always says obrigado with an -o at the end, and a girl or woman obrigada, ending in -a.

Be careful if you add the adverb – muito – to say 'thank you very much'. This word never changes. So a man says muito obrigado and a woman always says muito obrigada.

Confirming and negating - CD Track 4
Confirmando e negando

Simple ways of confirming or agreeing are:

Yes.
Sim.

OK.
O.k.

Fine.
Bom.
or
Bem.

That's fine.
Está bom.
or
Está bem.

Right.
Certo.

That's right.
Está certo.

Sure!
Com certeza!

Of course!
É claro!

Excellent!
Excelente!

Great!
Ótimo!

To negate or disagree you can say:

No.
Não.

Of course not!
Claro que não!

No way!
De jeito nenhum!

Never.
Nunca.

Nothing.
Nada.

Nobody.
Ninguém.

For a response which is neither 'yes' or 'no' two useful words are:

Maybe.
Talvez.

Probably.
Provavelmente.

Saying you're sorry - CD Track 5
Pedindo desculpas

To say you're sorry you can just say:

Sorry.
Desculpe.

or use the following expressions:

I'm sorry.
Peço desculpas.

I'm very sorry.
Sinto muito.

I'm really sorry.
Sinto muito mesmo.

Introductions - CD Track 6
Apresentações

To ask someone's name say:

What's your name?
Qual é seu nome?

Ways to introduce yourself are:

I'm Daniel.
Eu sou Daniel.

or

My name's Daniel.
Meu nome é Daniel.

To introduce a person to someone else, just say:

This is Anna.
Est**a** é Anna. (woman)

This is Lucas.
Est**e** é Lucas. (man)

The usual ways to respond to introductions are:

Hi!
Oi!

or

Hello!
Olá!

Nice to meet you.
Prazer.

Very nice to meet you.
Muito prazer.

TIP DICA

HUGS AND KISSES ABRAÇOS E BEIJOS

When you are introduced to someone in Brazil it is normal to shake hands and also to kiss women on the cheeks, usually one kiss (beijo) on each cheek. Brazilians also shake hands and/or kiss every time they meet and when they say goodbye, with everybody, whether it's someone they've just met or even close friends and family. They also like to exchange lots of hugs (abraços) when they meet and when they leave.

Daily routine - CD Track 7

Rotina diária

To speak about your main daily routines, you can use the following expressions:

In the morning...
De manhã...

I get up.
Eu me levanto.

I take a shower.
Eu tomo um banho.

I have breakfast.
Eu tomo café da manhã.

I brush my teeth.
Eu escovo os dentes.

I go to work.
Eu vou ao trabalho.

I go to school.
Eu vou para a escola.

In the afternoon...
À tarde...

I have lunch.
Eu almoço.

I go back to work.
Eu volto ao trabalho.

In the evening...
À noite...

I go to the gym.
Eu vou para a academia.

I have dinner.
Eu janto.

I wash the dishes.
Eu lavo a louça.

I watch TV.
Eu assisto à TV.

I read a book.
Eu leio um livro.

I go to bed.
Eu vou para a cama.

On the weekend...
No fim de semana...

I go to the park.
Eu vou para o parque.

I go to the movies.
Eu vou ao cinema.

I play football.
Eu jogo futebol.

TIP DICA

THE O / OS / A / AS

There are four different words in Portuguese for the English word – the. These are – o / os / a / as, depending on whether the word is masculine, feminine, singular or plural. For example:

Masculine singular – the book – o livro
Masculine plural – the books – os livros
Feminine singular – the school – a escola
Feminine plural – the schools – as escolas

All nouns in Portuguese are either masculine or feminine. Words ending in – a – are usually feminine and have the articles a / as, but one important exception are words ending in -ema, which are masculine. So you must always say, for example:

O problema, os problemas.
O sistema, os sistemas.

Suggestions - CD Track 8

Sugestões

To make a suggestion you can start with the words:

What about...? / How about...?
Que tal...?

or

Let's...
Vamos...

How about a pizza?
Que tal uma pizza?

What about Friday?
Que tal sexta-feira?

Let's eat.
Vamos comer.

Let's go to the beach.
Vamos para a praia.

To respond positively you can say:

Good idea!
Boa ideia!

Great idea!
Ótima ideia!

Communication - CD Track 9
Comunicação

Here are some useful expressions to help you when you do not understand what is said in Portuguese or when you have problems trying to communicate or make yourself understood.

I speak English.
Eu falo inglês.

I don't speak Portuguese.
Eu não falo português.

I speak a little Portuguese.
Eu falo um pouquinho de português.

Do you speak English?
Você fala inglês?

I understand.
Eu entendo.

Sorry, I don't understand.
Desculpe, eu não entendo.

Do you understand?
Você entende?

I know.
Eu sei.

I don't know.
Eu não sei.

What's this?
O que é isto?

What's this in Portuguese?
O que é isto em português?

How do you say this in Portuguese?
Como se diz isto em português?

What does this mean?
O que significa isto?

Please speak slowly.
Por favor, fale devagar.

Sorry?
Como?

Please repeat.
Por favor, repita.

Again, please.
De novo, por favor.

Please write this for me.
Por favor, escreva isto para mim.

Please spell this for me.
Por favor, soletre isto para mim.

TIP DICA

PRONUNCIATION OF 'R' and 'RR'
PRONÚNCIA DE 'R' E 'RR'

When a word starts with R it is pronounced like the letter H, as in 'happy'.

For example:

Roberto sounds like 'Hoberto'.
Real, the Brazilian currency, sounds like 'Heyal'.
Rio de Janeiro sounds like 'Hio de Janeiro'.

When there are two letter Rs together in a word this also usually sounds like H. So, for example:

Carro (car) sounds like 'ca-ho'.
Morro (hill) sounds like 'mo-ho'.

Asking questions - CD Track 10

Fazendo perguntas

You can ask a lot of questions beginning with the following words:

Where...?
Onde...?

Who...?
Quem...?

When...?
Quando...?

Why...?
Por que...?

What...?
O que...?

How...?
Como...?

How much?
Quanto...?

Which...?
Qual...?

Here are some useful examples:

Where's the bathroom?
Onde fica o banheiro?

Who's that guy?
Quem é esse cara?

When's your birthday?
Quando é seu aniversário?

Why are you here?
Por que você está aqui?

What's that?
O que é isso?

How are you?
Como você está?

How much is it?
Quanto é?

Which is best?
Qual é melhor?

TIP DICA

RIGHT? / ISN'T IT? NÉ?

To check if what you have said is correct, you can simply end the sentence with - não é? - (isn't it?). This is very often shortened to - né? - when speaking. For example:

You're Brazilian, right?
Você é brasileiro, né?

It's here, right?
É aqui, né?

Conversation - reactions - CD Track 11
Conversação - reações

Here are some very common ways of reacting to what another person says, and also show you are paying attention to what they are saying:

OK.
O.k.

Right.
Certo.

That's right.
Tá certo.

Correct.
Correto.

That's correct.
Tá correto.

Yes.
Sim.

No.
Não.

Great!
Ótimo!

Cool!
Legal!

Fantastic!
Fantástico!

How interesting!
Que interessante!

And?
E?

So?
E aí?

So what?
E daí?

Really?
É mesmo?

Seriously?
Sério?

Oh, I see!
Ah, entendo!

I know.
Eu sei.

I don't know.
Eu não sei.

Not sure.
Não tenho certeza.

For sure!
Com certeza!

I think so.
Acho que sim.

I don't think so.
Acho que não.

What do you think?
O que você acha?

I have no idea.
Eu não tenho a mínima ideia.

No problem.
Sem problema.

Poor thing!
Coitado! (referring to a man)
Coitada! (referring to woman)

That's terrible!
Isso é terrível!

Oh! That's really bad!
Ah! Isso é muito ruim!

Oh! What a pity!
Ah! Que pena!

Some very common exclamations you can use to react to what people say, are:

Wow!
Uau!

God!
Deus!

My God!
Meu Deus!

Gee!
Nossa! / Puxa!

No way!
De jeito nenhum!

You're kidding!
Você está brincando!

Conversation – help – CD Track 12

Conversação – ajuda

When you cannot think of a good word to use, or what to say next you can use words and expressions to give you time to think. For example:

Well…
Bem…

So…
Então…

You know…
Sabe…

I don't know…
Não sei…

I think…
Eu acho…

I mean…
Quero dizer…

Things.
Coisas.

Things like that.
Coisas assim.

It's like really expensive.
É, tipo, muito caro.

TIP DICA

1. THING COISA

When you do not know a specific word in Portuguese, you can try to explain it, or ask what it is, using the following phrases:

The thing...
A coisa...

or

The thing that...
A coisa que...

or

What do you call the thing that...?
Como se chama a coisa que...?

For example:

The thing you use in the rain.
A coisa que você usa na chuva.

or

What do you call the thing that you use in the rain?
Como se chama a coisa que você usa na chuva?

Umbrella.
Guarda-chuva.

2. KIND OF – SORT OF / LIKE TIPO / ASSIM

Tipo (kind of / sort of) – pronounced like 'cheapu' – can be used when you cannot think of a good word to use, or what to say next. For example:

The show was kind of, cool, you know.
O show foi, tipo, legal, sabe.

You can also use the word – assim – meaning 'like' in the same way or even both words together, just like in English – tipo assim – meaning 'kind of like'/ 'sort of like'.

She just stayed sort of like, quiet all night.
Ela ficou, tipo assim, calada a noite toda.

Personal information – CD Track 13

Informações pessoais

You can use the following expressions to ask for or give personal information:

What's your name?
Qual é seu nome?

What's your last name?
Qual é seu sobrenome?

What's your middle name?
Qual é seu nome do meio?

How old are you?
Quantos anos você tem?

I'm twenty.
Tenho vinte anos.

When's your birthday?
Quando é seu aniversário?

What's your date of birth?
Qual é a sua data de nascimento?

What's your sign?
Qual é seu signo?

Do you have any brothers or sisters?
Você tem irmãos?

I have one brother and two sisters.
Tenho um irmão e duas irmãs.

Are you married?
Você é casado?

No, I'm single.
Não, sou solteiro/a.

Do you have any children?
Você tem filhos?

Yes, I have a son and a daughter.
Sim, tenho um filho e uma filha.

Where are you from?
De onde você é?

I'm from Belo Horizonte, Minas Gerais. I'm 'mineiro'.
Sou de Belo Horizonte, Minas Gerais. Sou mineiro.

I'm from England.
Sou da Inglaterra.

Where do you live?
Onde você mora?

I live in London.
Eu moro em Londres.

What's your phone number?
Qual é o seu telefone?

What's your cell phone number?
Qual é o seu celular?

What's your e-mail address?
Qual é seu e-mail?

It's jack@quickbrazport.com
É jack "arroba" quickbrazport "ponto" com

TIP DICA

FROM RIO ETC. CARIOCA ETC.

Brazilians are very proud of the states they come from and there are special words to describe this. For example:

Carioca – from the state of Rio de Janeiro
Mineiro/a – from the state of Minas Gerais
Gaúcho/a – from the state of Rio Grande do Sul
Baiano/a – from the state of Bahia
Capixaba – from the state of Espírito Santo
Paulista – from the state of São Paulo
(Paulistano/a – from the city of São Paulo)

Professional information – CD Track 14
Informações profissionais

You can use the following expressions to ask for or give professional information:

What's your job?
Qual é seu trabalho?

I'm a doctor.
Sou médico.

Where do you work?
Onde você trabalha?

At the hospital.
No hospital.

I'm a student.
Sou estudante.

Where do you study?
Onde você estuda?

At the university.
Na universidade.

What are you studying?
O quê você estuda?

I'm studying business administration.
Estudo administração de empresas.

TIP DICA

DOCTOR ETC. MÉDICO/A ETC.

All words for professions and occupations are either masculine or feminine, depending on the person. For example:

Doctor / teacher / engineer / actor
Médico / professor / engenheiro / ator (man)
Médica / professora / engenheira / atriz (woman)

Some words have only one form. For example:

Student / dentist / police officer / manager
Estudante / dentista / policial / gerente

Directions - CD Track 15
Direções

To ask for directions, you can start with the phrases

Where is...?
Onde fica...?

or

Excuse me, where is...?
Com licença, onde fica...?

Directions can be given in the following ways:

On the left.
À esquerda.

On the right.
À direita.

First on the left.
Primeira à esquerda.

Second on the right.
Segunda à direita.

Straight on.
Reto / em frente.

Turn left.
Vire à esquerda.

Turn right.
Vire à direita.

On the corner.
Na esquina.

Just two blocks from here.
Apenas duas quadras daqui.

Likes - CD Track 16
Gostos

To ask or talk about likes you can use the following:

Do you like this?
Você gosta disso?

Do you like football?
Você gosta de futebol?

I like movies.
Eu gosto de cinema.

What do you like to do on the weekend?
O que você gosta de fazer no fim de semana?

I like to go to the movies on the weekend.
Eu gosto de ir ao cinema no fim de semana.

I love music.
Eu adoro música.

I love to run.
Eu adoro correr.

To talk about dislikes you can use the following:

I don't like coffee.
Eu não gosto de café.

I don't like to get up early.
Eu não gosto de levantar cedo.

or even stronger:

I hate lies.
Eu detesto mentiras.

To ask or talk about preferences you can say:

Do you prefer tea or coffee?
Você prefere chá ou café?

I prefer coffee.
Eu prefiro café.

Do you prefer to exercise at home or at the gym?
Você prefere fazer exercícios em casa ou na academia?

The weather – CD Track 17
O tempo

Everyone likes to talk about the weather. You can use the following expressions to start a conversation about this popular topic:

Nice day today, huh?
Lindo dia hoje, né?

What wonderful weather!
Que tempo maravilhoso!

What horrible weather!
Que tempo horrível!

How's the weather?
Como está o tempo?

What's the temperature?
Qual é a temperatura?

What's the weather forecast?
Qual é a previsão do tempo?

The following words are used to describe the weather:

good – bom
bad – mau
hot – quente
cold – frio
cool – fresco
dry – seco
humid – úmido
stuffy – abafado
sunny – ensolarado
windy – com vento
cloudy – nublado
foggy – com neblina
stormy – com tempestade
with thunder and lightning – com trovão e raio

Here are some common expressions to describe the weather:

It's hot.
Está quente.

It's cold.
Está frio.

It's very hot.
Está muito quente.

It's very cold.
Está muito frio.

It's raining.
Está chovendo.

It's raining a lot.
Está chovendo muito.

It's snowing.
Está nevando.

It's snowing a lot.
Está nevando muito.

TIP DICA

ADJECTIVES ADJETIVOS

In Portuguese, the adjectives usually go after the noun and must always match the gender and number of the noun. For example:

A sunny day
Um dia ensolarado – (masculine singular)

Sunny days
Dias ensolarados - (masculine plural)

A sunny afternoon
Uma tarde ensolarada - (feminine singular)

Sunny afternoons
Tardes ensolaradas - (feminine plural)

The time - CD Track 18
As horas

To ask what time it is, you say:

What time is it?
Que horas são?

You can say the time in the simplest way by just using the number of the hours and minutes with the word 'and' - e - in the middle, like this:

It's nine twenty-five (or – It's twenty-five past nine).
São nove e vinte e cinco.

For the full hour you can add the word – horas (hours):

It's eleven (o'clock).
São onze horas.

For the 'half' hours, use the words – e meia (and a half) after the hour:

Half past four.
Quatro e meia.

For 'minutes to', use the word – para (to):

Ten to three.
Dez para as três.

Two other useful times are:

It's midday.
É meio-dia.

and

It's midnight.
É meia-noite.

Special wishes - CD Track 19
Votos especiais

Here are some very common expressions for special occasions:

Welcome to Brazil!
Bem-vindo ao Brasil!

Congratulations!
Parabéns!

Good luck!
Boa sorte!

Cheers! (before drinking)
Saúde!

All the best!
Tudo de bom!

Have a nice weekend!
Bom fim de semana!

Have a nice holiday! (public holiday)
Bom feriado!

Have a nice trip!
Boa viagem!

Get well soon.
Estimo as melhoras.

Happy birthday!
Feliz aniversário!

Happy Valentine's Day!
Feliz Dia dos Namorados!

Happy Easter!
Feliz Páscoa!

Merry Christmas!
Feliz Natal!

Happy New Year!
Feliz Ano-Novo!

Have a good Carnival!
Bom Carnaval!

TIP DICA

TO CELEBRATE CARNIVAL PULAR CARNAVAL

The world's biggest carnival celebrations are held in Brazil. In Rio and São Paulo the escolas de samba (samba schools) offer the famous parades (desfiles) in the Sambódromo, with thousands of members and carros alegóricos – spectacularly decorated floats demonstrating specific themes.

During carnival, groups of dancers and street bands called blocos parade the streets with many of the revellers (foliões) wearing fancy dress or costumes (fantasia).

Another very popular feature of carnival, especially in Salvador, is the trio elétrico - a huge truck, adapted with giant speakers and a stage on top where musicians and singers perform to the delight of thousands of fans who follow the truck as it winds its way slowly through the streets.

Throughout the country many clubs also arrange special carnival balls (bailes).

Common everyday situations
Situações comuns do dia a dia

Airport
Aeroporto

Useful phrases
Frases úteis

Is this terminal two?
Este é o terminal dois?

Where are the restrooms / toilets?
Onde ficam os banheiros?

Where's the information desk?
Onde fica o balcão de informações?

Your ticket and passport, please.
Sua passagem e passaporte, por favor.

I prefer a window seat.
Eu prefiro um assento na janela.

I prefer an aisle seat.
Eu prefiro um assento no corredor.

This is an emergency exit seat.
Este é um assento na saída de emergência.

Please put your bag on the scale.
Por favor, coloque a sua mala na balança.

How many bags are you checking?
Quantas malas você vai despachar?

Do you have any carry-on bags / hand luggage?
Você tem bagagem de mão?

Please put a "fragile" sticker on this bag.
Por favor, coloque um adesivo "frágil" nesta mala.

The airport tax is US$ 40.
A taxa de embarque é US$ 40.

You have excess baggage.
Você tem excesso de bagagem.

There's a connecting flight to New York at 5:30 pm.
Há um voo de conexão para Nova York às 17h30.

I need to change my reservation.
Preciso mudar a minha reserva.

I can put you on standby.
Eu posso colocar você na lista de espera.

What's your flight number?
Qual é seu número de voo?

I'm in transit.
Estou em trânsito.

Is the flight delayed?
O voo está atrasado?

The flight is on time.
O voo está no horário.

The plane has already landed.
O avião já aterrissou.

Your flight has been cancelled.
Seu voo foi cancelado.

Is it a non-stop flight?
É um voo sem escalas?

The flight time is 11 hours.
O tempo de voo é de 11 horas.

Your expected time of arrival (ETA) is at 3:35 pm.
O horário previsto de chegada é às 15h35.

Have a nice flight.
Tenha um bom voo.

Please show your ID at the boarding gate.
Por favor, mostre seu RG no portão de embarque.

Proceed to gate.
Embarque próximo.

Now boarding.
Embarque imediato.

Flight closed.
Voo encerrado.

Useful words
Palavras úteis

Airline (company) – companhia aérea
Airplane – avião
Airport – aeroporto
Arrival – chegada
Arrive – chegar
Automatic check-in – autoatendimento
Baggage – bagagem
Baggage carousel – esteira de bagagem
Baggage cart / trolley – carrinho para malas
Baggage claim – retirada de bagagem
Baggage drop – despacho de bagagem
Boarding bridge – finger / passarela até a aeronave
Boarding pass / boarding card – cartão de embarque
Connection – conexão
Counter – balcão
Crew – tripulação
Customs – alfândega
Delay – atraso
Depart – partir
Departure – embarque / partida
Departure lounge – sala de embarque
Destination – destino
Direct flight – voo direto
Economy class – classe econômica
Entrance – entrada
Escalator – escada rolante
Executive lounge – sala VIP
Exit – saída

Final call – última chamada
First class – primeira classe
Flight – voo
Flight attendant – comissário/a de bordo
Fly – voar
Frequent flyer card – cartão de milhas
Gate – portão
Immigration – imigração
Inflight service – serviço de bordo
Land – aterrissar
Landing – aterrissagem
Layover – escala
Left-luggage office – guarda-volumes
Lost baggage / luggage office – bagagem extraviada
Luggage – bagagem
Luggage locker – guarda-volumes
Men's restroom / toilet – sanitário masculino
Middle seat – assento do meio
Money exchange – câmbio
Non-stop flight – voo direto
Observation deck – terraço panorâmico
Parking – estacionamento
Passenger – passageiro/a
Passenger check-in – despacho de passageiros
Passport – passaporte
Pilot – piloto/a
Plane – avião
Porter – carregador de malas
Restroom – sanitário
Return flight – voo de volta
Return ticket / round-trip ticket – passagem de ida e volta
Route – rota
Schedule – horário
Security check – controle de segurança
Self-service check-in – autoatendimento
Shuttle – ponte aérea
Single ticket – passagem de ida
Stopover – escala

Take off - decolar / decolagem
Ticket - passagem
Toilet - sanitário
Visa - visto
Women's restroom / toilet - sanitário feminino

Bank - money exchange

Banco - câmbio

Useful phrases

Frases úteis

I want to change some money.
Eu quero trocar dinheiro.

What's the rate of exchange?
Qual é a taxa de câmbio?

Do you have any identification?
Você tem algum documento de identidade?

Please fill in this form.
Por favor, preencha este formulário.

Sign here, please.
Assine aqui, por favor.

I want to withdraw some money.
Eu quero sacar dinheiro.

You can withdraw money from the ATM.
Você pode sacar dinheiro no caixa eletrônico.

I want to deposit some money.
Eu quero depositar dinheiro.

I want to cash a check.
Eu quero descontar um cheque.

I want to pay this bill.
Eu quero pagar essa conta.

What's the number of your account?
Qual é o número de sua conta?

Please key in your PIN number.
Por favor, digite sua senha.

I'm sorry, but the check bounced.
Sinto muito, mas o cheque voltou.

My bank account is in the red.
Minha conta bancária está no vermelho.

Useful words
Palavras úteis

ATM – caixa eletrônico
Balance – saldo
Bank – banco
Bank account – conta bancária
Bank charge – taxa bancária
Bank draft – ordem de pagamento
Bank manager – gerente de banco

Bank statement - extrato
Banknote / note / bill - nota
Bar code - código de barras
Blank check - cheque em branco
Borrow - pedir emprestado
Cash - dinheiro
Cash card - cartão de débito
Cash machine / cash point - caixa eletrônico
Cashier - caixa
Cent - centavo
Change - trocado
Check / cheque - cheque
Check made payable to... - cheque nominal a ...
Checkbook - talão de cheques
Checking account - conta corrente
Coin - moeda
Commission - comissão
Counterfeit note - nota falsa
Credit - crédito
Credit card - cartão de crédito
Crossed check - cheque cruzado
Currency exchange - câmbio
Current account - conta corrente
Debit - débito
Debit card - cartão de débito
Deposit - depositar / depósito
Direct debit - débito automático
Dollar - dólar
Exchange office - casa de câmbio
Foreign currency - moeda estrangeira
Fund - fundo
Instalment - prestação
Interest - juros
Invest - investir
Investment - investimento
Joint account - conta conjunta
Lend - emprestar
Loan - empréstimo

Money - dinheiro
Money order - ordem de pagamento
Mortgage - hipoteca
Overdraft limit - limite de crédito
Passport - passaporte
Payment - pagamento
PIN number - senha
Pound (sterling) - libra (esterlina)
Receipt - recibo
Remittance - remessa
Savings account - poupança
Share - ação
Signature - assinatura
Teller - caixa
Transfer - transferir / transferência
Traveler's check - cheque de viagem
Withdraw - retirar / sacar
Withdrawal - retirada / saque

Business - office

Negócios - escritório

Useful phrases
Frases úteis

What do you do?
O que você faz?

I'm a consultant.
Eu sou consultor.

What's your background?
Qual a sua formação?

I have a degree in marketing.
Sou formado em marketing.

I have ten years experience.
Tenho dez anos de experiência.

What's the name of your company?
Qual é o nome da sua empresa?

I'm self-employed.
Eu trabalho por conta própria.

I'm doing research.
Estou fazendo pesquisa.

I'm responsible for Customer Service.
Eu sou responsável pelo Serviço de Atendimento ao Cliente.

I was promoted.
Fui promovido.

Here's my business card.
Aqui está o meu cartão de visita.

I'd like to arrange a meeting.
Eu gostaria de marcar uma reunião.

I have to cancel our meeting.
Eu tenho que cancelar nossa reunião.

I have another appointment at that time.
Eu tenho outro compromisso nesse horário.

Let's set another date.
Vamos marcar outra data.

When are you free?
Quando você está livre?

Are you busy tomorrow?
Você está ocupado amanhã?

What about Saturday?
Que tal sábado?

Send me an email.
Mande-me um e-mail.

I have to give a presentation at the seminar.
Eu tenho que fazer uma apresentação no seminário.

I'm going to talk about market trends.
Vou falar sobre as tendências de mercado.

I need to make some photocopies.
Eu preciso fazer algumas fotocópias.

Please visit our booth at the trade fair.
Por favor, visite o nosso stand na feira de negócios.

We don't have a budget for that.
Nós não temos orçamento para isso.

Now we can sign the contract.
Agora podemos assinar o contrato.

When can you deliver?
Quando você pode entregar?

Useful words
Palavras úteis

Administration - administração
Badge / name tag - crachá
Boss - chefe
Branch - filial
Business - negócios
Businessman / businessperson - executivo
Businesswoman / businessperson - executiva
Chair - cadeira
Client - cliente
Co-worker - colega de trabalho
Company - empresa
Competition - concorrência
Computer - computador
Conference - conferência
Conference room - sala de conferência
Consumer - consumidor/a
Convention center - centro de convenções
CV - currículo
Deadline - prazo final
Delivery - entrega
Department - departamento
Desk - mesa de trabalho
Director - diretor/a
Drawer - gaveta
Employed - empregado
Employee - empregado/a / funcionário/a
Employer - empregador/a
Envelope - envelope
Estimate - estimativa
Exhibition - exibição
Exposition / expo - exposição

File – arquivar / arquivo
Fire – demitir
Glue – cola
Head office – matriz
Hire – contratar
Holidays – férias
Human resources – recursos humanos
Interview – entrevista
Invoice – nota fiscal / fatura
Job – emprego / trabalho
Manager – gerente
Meeting – reunião
Meeting room – sala de reuniões
Negotiate – negociar
Notepad – bloco de anotações
Office – escritório
Office supplies – materiais de escritório
Overtime – hora extra
Paper – papel
Partner – sócio/a
Password – senha
Payment – pagamento
Pen – caneta
Pencil – lápis
Photocopier – fotocopiadora
Post / job – cargo
Post graduate – pós-graduação
Printer – impressora
Profit – lucro
Reception – recepção
Report – relatório
Résumé – currículo
Salary – salário
Sales – vendas
Schedule – agenda / horário
Scissors – tesoura
Scotch tape – durex
Secretary – secretário/a

Self-employed – autônomo/a
Speech – palestra
Stapler – grampeador
Stationery – artigos de papelaria
Sticky tape – durex
Survey – enquete
Teamwork – trabalho em equipe
Telephone – telefone
Trade fair / show – feira de negócios
Trainee – estagiário/a
Traineeship – estágio
Unemployed – desempregado/a
Vacancy / opening – vaga
Vacation – férias
Voicemail – correio de voz
Waste basket / wastepaper basket – cesta de lixo
Work – trabalhar

Car hire

Aluguel de carro

Useful phrases

Frases úteis

To rent / hire a car.
Alugar um carro.

What kind of car would you like?
Que tipo de carro você gostaria?

We have the lowest rates.
Nós temos os preços mais baixos.

With or without GPS / Sat Nav?
Com ou sem GPS?

For how many people?
Para quantas pessoas?

Are you the only driver?
Você é o único motorista?

Is the car rental by day or mileage?
O aluguel de carro é por dia ou por quilometragem?

How much is it per day / week?
Quanto custa para alugar por dia / semana?

An automatic or manual car?
Um carro automático ou manual?

You pay the gas / petrol.
Você paga a gasolina.

Where can I drop the car off?
Onde posso devolver o carro?

Please return the car here.
Por favor, devolva o carro aqui.

Please return the car with a full tank.
Por favor, devolva o carro com o tanque cheio.

There's a gas station / petrol station near here.
Há um posto de gasolina perto daqui.

Fill it up, please.
Encha o tanque, por favor.

This is your pick-up date.
Esta é a sua data de retirada.

This is your drop-off date.
Esta é a sua data de devolução.

Is comprehensive insurance included?
O seguro total está incluído?

The price includes unlimited mileage.
O preço inclui quilometragem ilimitada.

You have to pay a deposit.
Tem que pagar um depósito.

Your driver's licence, please.
Sua carteira de motorista, por favor.

Here's a free road map.
Aqui está um mapa rodoviário gratuito.

Useful words
Palavras úteis

Accelerator – pedal do acelerador
Air conditioning – ar-condicionado
Airbag – airbag
Alarm – alarme
Baby seat – cadeira de bebê
Back seat – banco traseiro
Battery – bateria
Bonnet – capô
Boot – porta-malas
Brake pedal – pedal do freio

Bumper – para-choque
Cabriolet – conversível
Car – carro
Car door – porta do carro
Car key – chave do carro
Car rental – locadora de veículos
Child seat – cadeira de criança
Clutch pedal – pedal da embreagem
Compact car – carro pequeno
Convertible – conversível
Cruise control – piloto automático
Dashboard – painel
Dead battery – bateria descarregada
Defogger / defroster / demister – desembaçador de para-brisa
Door handle – maçaneta
Door lock – trava
Driver's seat – banco do motorista
Economy car – carro pequeno
Engine – motor
Estate car – perua
Fender – para-lama
Fire extinguisher – extintor de incêndio
Flat tire – pneu furado
Footbrake – freio de pé
Four-wheel drive – tração nas quatro rodas
Fuel gauge – medidor de combustível
Full-size car – carro grande
Gas pedal – pedal do acelerador
Gas tank – tanque de gasolina
Gear – marcha
Gear shift – câmbio
Glove compartment – porta-luvas
Handbrake – freio de mão
Hatchback – hatch
Hazard light – pisca-alerta
Headlight – farol dianteiro
Headrest – apoio para a cabeça
Heater – aquecedor

Highway – autoestrada
Hood – capô
Horn – buzina
Ignition – ignição
Indicator – seta
Insurance – seguro
Jack – macaco
License plate – placa
Lights – farol
Limousine – limusine
Luggage rack – bagageiro
Luxury car – carro de luxo
Mid-size car – carro médio
Motorway – autoestrada
Number plate – placa
Parking brake – freio de mão
Passenger seat – banco do passageiro
Petrol tank – tanque de gasolina
Pickup / pickup truck – picape
Power steering – direção hidráulica
Radio / CD player – rádio / CD
Rear-view mirror – retrovisor
Rear lights – farol traseiro
Reverse / reverse gear – marcha à ré
Road sign – placa de sinalização
Roof – teto
Roof rack – bagageiro
Saloon car – sedã
Seat – banco
Seat belt – cinto de segurança
Sedan – sedã
Side-view mirror – espelho retrovisor
Sliding roof – teto solar
Spare tire / spare wheel – estepe
Speedometer – velocímetro
Sports car – carro esporte
Station wagon – perua
Steering wheel – volante

Sunroof – teto solar
SUV – utilitário
Tire / tyre – pneu
Toll – pedágio
Trunk – porta-malas
Turn signal – seta
Wheel – roda
Window – janela
Windscreen / windshield – para-brisa
Windscreen / windshield wiper – limpador de para-brisa
Wing – para-lama
Wing mirror – espelho retrovisor

TIP DICA

GAS STATIONS POSTOS DE GASOLINA

There are no self-service gas stations in Brazil. When you stop at a pump, an attendant – frentista – will come and ask you what you want and you pay them at the end. They will also check your tires, oil etc. if you ask them to.

Emergencies
Emergências

Useful phrases
Frases úteis

Help!
Socorro!

Fire!
Fogo!

Get back!
Para trás!

Help me, please.
Ajude-me, por favor!

Stop! Thief!
Pare! Ladrão!

I was mugged.
Fui assaltado/a.

Can you describe him?
Você pode descrevê-lo?

Can you describe her?
Você pode descrevê-la?

Someone stole my car.
Alguém roubou meu carro.

Call the police!
Chame a polícia!

On the ground now!
No chão agora!

Hands on your head!
Mãos na cabeça!

Hands behind your back!
Mãos atrás das costas!

It's very urgent!
É muito urgente!

Come quickly, please!
Venha rápido, por favor!

The building's on fire.
O prédio está em chamas.

Onde você está?
Where are you?

What's the problem?
Qual é o problema?

What happened?
O que aconteceu?

Is anyone hurt?
Tem alguém ferido?

I can't move my leg.
Não consigo mexer minha perna.

Please stay calm.
Por favor, fique calmo.

Don't move.
Não se mexa.

Everything's going to be fine.
Tudo vai ficar bem.

I want an interpreter.
Eu quero um intérprete.

Do you have any identification / ID?
Você tem alguma identificação?

Here's a copy of the police report.
Aqui está uma cópia do boletim de ocorrência (BO).

I lost my passport.
Eu perdi o meu passaporte.

Please contact my embassy.
Por favor, entre em contato com a minha embaixada.

Useful words
Palavras úteis

A & E (accident and emergency) – pronto-socorro
Accident – acidente
Ambulance – ambulância
Armed – armado/a
Arrest – prender
Attack – assaltar / assalto
Attacker – assaltante
Bomb – bomba
Breathalyzer – bafômetro
Car accident – acidente de carro
Consulate – consulado
Crash – batida
Crime – crime
Criminal – criminoso/a
Danger – perigo
Dangerous – perigoso/a
Detective – detetive
Drown – afogar
Drunk driving – dirigir embriagado/a
Earthquake – terremoto
Emergency – emergência
Emergency room / ER – pronto-socorro

Equipment – equipamento
Fire – incêndio
Fire alarm – alarme de incêndio
Fire department – corpo de bombeiros
Fire engine – carro dos bombeiros
Fire extinguisher – extintor de incêndio
Firefighter – bombeiro/a
First aid – primeiros socorros
Flood – inundar
Flooding – inundação
Gun – arma
Handcuffs – algemas
Highway patrol – polícia rodoviária
Hospital – hospital
Hurricane – furacão
Kidnap – sequestrar
Kidnapping – sequestro
Knock down – atropelar
Landslide – desmoronamento
Lawyer – advogado/a
Lose – perder
Mudslide – deslizamento de terra
Mug – assaltar
Mugger – assaltante
Mugging – assalto
Murder – assassinato
Murderer – assassino/a
Paramedic – paramédico/a
Patrol – patrulhar / patrulha
Pickpocket – trombadinha
Police car – viatura policial
Police officer – policial
Police station – delegacia
Prison – prisão
Quicknapping – sequestro relâmpago
Rape – estuprar / estupro
Rescue – resgate
Rob – furtar / roubar

Robbery - roubo
Run over - atropelar
Safe - seguro
Safety - segurança
Security - segurança
Security guard - segurança
Steal - roubar
Suspect - suspeito/a
Testify - depor
Testimony - depoimento
Theft - roubo
Thief - ladrão
Tourist police - polícia de turistas
Tow - rebocar
Unconscious - inconsciente
Victim - vítima
Violence - violência
Violent - violento/a
Witness - testemunha

TIP DICA

EMERGENCY TELEPHONE NUMBERS
TELEFONES DE EMERGÊNCIA

190 Military Police - Polícia Militar
191 Federal Highway Police - Polícia Rodoviária Federal
192 Ambulance - Ambulância
193 Fire Department - Corpo de Bombeiros
194 Federal Police - Polícia Federal
197 Civil Police - Polícia Civil
198 State Highway Police - Polícia Rodoviária Estadual

Entertainment
Entretenimento

Useful phrases
Frases úteis

What's on tonight?
O que está passando hoje à noite?

There's a great gig at the Palace.
Tem uma ótima apresentação no Palace.

Where can I find a good pub?
Onde posso encontrar um bom bar?

I know a really cool place.
Eu conheço um lugar muito legal.

We're having a party.
Estamos dando uma festa.

What do you like to do in your spare time?
O que você gosta de fazer no seu tempo livre?

I like to go out partying.
Eu gosto de ir para a balada.

What kind of movies do you like?
Que tipo de filmes você gosta?

Let's watch a movie.
Vamos assistir a um filme.

Do you like to watch TV?
Você gosta de assistir à TV?

Soap operas are very popular in Brazil.
Novelas são muito populares no Brasil.

Do you listen to the radio?
Você escuta rádio?

Who's your favorite singer?
Quem é seu cantor preferido?

I really like to go to the theater.
Eu gosto muito de ir ao teatro.

He's the best comedian.
Ele é o melhor comediante.

Young people go clubbing on the weekend.
Os jovens vão para as boates no fim de semana.

The amusement park is great for kids.
O parque de diversão é ótimo para crianças.

You can visit the museum.
Você pode visitar o museu.

The museum is open from 9 am to 4 pm.
O museu funciona das 9 h às 16 h.

There's a discount for students and the over 60s.
Tem desconto para estudantes e maiores de 60 anos.

There are guided tours in English.
Tem visitas guiadas em inglês.

Useful words
Palavras úteis

Action movie - filme de ação
Actor - ator
Actress - atriz
Arcade - fliperama
Audience - plateia / público
Audio guide - audioguia
Band - banda
Booking office - bilheteria
Bouncer - segurança
Box office - bilheteria
Box seat - camarote
Cartoon - desenho animado
Cinema - cinema
Circus - circo
Comedy - comédia
Concert - concerto
Concert hall - casa de shows
Dance - dançar
Dancer - bailarino/a
Documentary - documentário
Drama - drama
Entertainment - entretenimento
Entrance ticket - bilhete de entrada
Feature film - longa-metragem
Film - filme
Fun - diversão
Horror movie - filme de terror
Interval - intervalo

Leisure – lazer
Live – ao vivo
Movie – filme
Movies – cinema
Music – música
Musician – músico/a
Nightclub – boate / casa noturna
Opera – ópera
Orchestra – orquestra
Play – peça de teatro
Pub – bar
Science fiction – ficção científica
Screen – tela
Script – roteiro
Seat – assento
Show – espetáculo
Snooker – sinuca
Sold out – esgotado
Stage – palco
Subtitles – legenda
Table football – pebolim / pimbolim / totó
Thriller – suspense
Ticket – ingresso
Ticket office – bilheteria
Zoo – jardim zoológico

TIP DICA

CONTROL CARD COMANDA

In many bars, clubs, restaurants etc. in Brazil customers are given a card called a – comanda – on which the waiter notes down everything you eat or drink and you pay the total bill when you leave. Be careful not to lose the card or you will be charged a very high fixed amount.

Football
Futebol

Useful phrases
Frases úteis

Where's the stadium?
Onde fica o estádio?

How many spectators does the stadium hold?
O estádio tem capacidade para quantos espectadores?

What team do you support?
Para que time você torce?

Today Brasil is playing against Italy.
Hoje o Brasil joga contra a Itália.

When's the match between England and Brazil?
Quando é o jogo da Inglaterra contra o Brasil?

Do you have tickets for the match?
Você tem ingressos para o jogo?

Where's the ticket office?
Onde fica a bilheteria?

How much is the ticket?
Quanto custa o ingresso?

Who's winning?
Quem está ganhando?

What's the score?
Qual é o placar?

One – nil.
Um a zero.

Three – two for Brasil.
Três a dois para o Brasil.

It's a tie / draw.
Está empatado.

A player was sent off.
Um jogador foi expulso.

Who won?
Quem ganhou?

Useful words
Palavras úteis

Assistant referee – assistente / bandeirinha
Away game – jogo fora de casa
Back – zagueiro
Bench – banco
Bicycle kick – bicicleta
Boo – vaiar
Centre forward – centroavante
Changing rooms – vestiários
Coach – técnico
Commentator – locutor

Corner / corner kick – escanteio
Cross – cruzamento
Cross-bar – travessão
Defence – defesa
Defender – zagueiro
Dribble – driblar
Equaliser – gol de empate
Extra time / overtime – prorrogação
Fan – fã
Final whistle – apito final
First half – primeiro tempo
Football – futebol
Football boots – chuteiras
Forward – atacante
Foul – falta
Free kick – cobrança de falta
Friendly game – amistoso
Game – partida, jogo
Goal – gol
Goal-kick – tiro de meta
Goalkeeper – goleiro
Goalpost – trave
Golden goal – gol de ouro
Half time – intervalo
Halfway line – linha do meio de campo
Home game – jogo em casa
Injury time – acréscimos
Kick-off – pontapé inicial
Left back – quarto zagueiro
Left winger – ponteiro-esquerdo
Linesman – bandeirinha / assistente
Lose – perder
Manager – técnico
Match – partida, jogo
Midfielder – meio-campista
Net – rede
Offside – impedimento
Own goal – gol contra

Pass – passar
Penalty – pênalti
Penalty area – grande área
Penalty kick – cobrança de pênalti
Penalty spot – marca do pênalti
Red card – cartão vermelho
Referee / ref – árbitro / juiz
Right back – lateral direito
Right winger – ponteiro-direito
Scissor kick – bicicleta
Score – marcar o gol
Second half – segundo tempo
Send off – expulsar
Shoot – chutar
Shot – chute
Side-line – linha lateral
Sliding tackle – carrinho
Soccer – futebol
Stand – arquibancada
Striker – atacante
Substitute – reserva
Sudden death – morte súbita
Sweeper – líbero
Terraces – arquibancada
Throw-in – arremesso lateral
Turnstile – catraca
Warm-up – aquecimento
Whistle – apito
Win – vencer
World Cup – Copa do Mundo
Yellow card – cartão amarelo

Hairdresser's
Cabeleireiro

Useful phrases
Frases úteis

I want to make an appointment.
Eu quero marcar uma hora.

I want a haircut.
Quero um corte de cabelo.

Not too short, please.
Não muito curto, por favor.

Just trim the ends, please.
Apare só as pontas, por favor.

Do you want it a bit shorter?
Você quer um pouco mais curto?

I want it short in front / at the back / on top / at the sides?
Eu quero curto na frente / atrás / em cima / dos lados?

Do you also want a shampoo?
Você quer lavagem também?

Do you want to straighten your hair?
Você quer alisar o cabelo?

Do you part your hair on the left or on the right?
Você parte seu cabelo à esquerda ou à direita?

I'd like to change my hairstyle.
Eu gostaria de mudar meu penteado.

I'd like my hair dyed.
Eu gostaria de tingir meu cabelo.

I want a manicure.
Eu quero fazer as unhas das mãos.

Do you want a pedicure?
Você quer fazer as unhas dos pés?

With or without nail varnish / nail polish?
Com ou sem esmalte?

I can just file your nails.
Posso apenas lixar suas unhas.

Would you like to trim your beard?
Gostaria de aparar a barba?

Shave it all off.
Raspe tudo.

Useful words
Palavras úteis

Aftershave lotion – loção pós-barba
Bald – careca
Bangs – franja
Barber – barbeiro
Beard – barba
Beauty salon – salão de beleza
Blush – blush
Brazilian blowout / hair straightening – escova progressiva
Brush – escova
Comb – pentear / pente
Conditioner – condicionador
Cream – creme
Curling tong – modelador de cachos
Curls – cachos
Curly hair – cabelo cacheado
Cuticle – cutícula
Dandruff – caspa
Dry hair – cabelo seco
Electric razor – barbeador elétrico
Eyebrow – sobrancelha
Eyeliner – delineador
Fake nails – unhas postiças
False eyelashes – cílios postiços
False nails – unhas postiças
Foundation – base
Fringe – franja
Goatee (beard) – cavanhaque
Greasy hair – cabelo oleoso
Hair – cabelo
Hair extension – alongamento
Hair loss – queda de cabelo
Hair straightening – alisamento
Hair straightening iron – chapinha
Hairbrush – escova de cabelo
Hairdo – penteado

Hairdresser / hair stylist – cabeleireiro/a
Hairdryer – secador
Hairpin – grampo de cabelo
Highlights – luzes
Lipstick – batom
Make-up – maquiagem
Makeup artist – maquiador/a
Manicurist – manicure
Mascara – rímel
Mirror – espelho
Mustache – bigode
Nail clipper – cortador de unha
Nail file – lixa de unha
Perm – permanente
Powder – pó
Razor – aparelho de barbear
Razor blade – lâmina de barbear
Remover – removedor
Rollers – bobs
Scissors – tesoura
Shadow – sombra
Shampoo – xampu
Shave – fazer a barba
Shaving cream – creme de barbear
Sideburns – costeletas
Spot corrector – corretivo de espinhas
Straight hair – cabelo liso
Straighten hair – alisar o cabelo
Tweezers – pinça
Wash – lavar
Wavy hair – cabelo ondulado
Waxing – depilação
Wet – molhado
Wig – peruca

Health

Saúde

Useful phrases

Frases úteis

I'd like to make an appointment with the doctor.
Gostaria de marcar uma consulta com o médico.

What's the problem?
Qual é o problema?

I don't feel well.
Não me sinto bem.

I have a heart condition.
Tenho um problema cardíaco.

Let me examine you.
Deixe-me examiná-lo/a.

Please lie down here.
Por favor, deite-se aqui.

Breathe deeply.
Respire fundo.

Breathe in and breathe out.
Inspire e expire.

Don't move your head.
Não mexa a cabeça.

Where does it hurt?
Onde dói?

It hurts here.
Me dói aqui.

You're bleeding.
Você está sangrando.

I have a headache.
Estou com dor de cabeça.

Do you have a fever / a temperature?
Você tem febre?

Any other symptoms?
Mais alguns sintomas?

Are you allergic to anything?
Você é alérgico/a a algo?

When was your last period?
Quando foi sua última menstruação?

Are you on medication?
Você está tomando algum remédio?

Your blood pressure is high.
Sua pressão arterial está alta.

Your blood pressure is low.
Sua pressão arterial está baixa.

You need to do a blood test.
Você precisa fazer um exame de sangue.

You need to do a fasting blood test.
Você precisa fazer um exame de sangue em jejum.

Have you been vaccinated against hepatitis?
Você foi vacinado contra hepatite?

Let's take an X-ray.
Vamos tirar um raios X.

There's nothing broken.
Não há nada quebrado.

Do you feel better?
Você se sente melhor?

Stay in bed for a few days.
Fique na cama por alguns dias.

You need to have complete rest.
Você precisa ficar de repouso absoluto.

I hope you feel better.
Estimo as melhoras.

Do you want a doctor's note?
Você quer um atestado médico?

It's nothing serious.
Não é nada grave.

You need a filling.
Você precisa de uma obturação.

Open wide.
Abra bem (a boca).

Close your mouth, please.
Feche a boca, por favor.

Take one capsule before or after meals.
Tome uma cápsula antes ou depois das refeições.

Take one pill three times a day.
Tome um comprimido três vezes por dia.

Take this medication on an empty stomach.
Tome este remédio em jejum.

Are there any side effects?
Há efeitos colaterais?

Do you have the morning-after pill?
Tem a pílula do dia seguinte?

Only with a prescription.
Só com uma prescrição médica.

Where's the children's ward?
Onde fica a ala infantil?

What are the visiting hours?
Qual é o horário de visitas?

Who is the doctor on duty?
Quem é o médico de plantão?

Useful words
Palavras úteis

A & E (accident & emergency) – pronto-socorro
Adhesive plaster – emplastro
All-night drugstore – farmácia 24 horas
Allergy – alergia

Ambulance – ambulância
Antibiotic – antibiótico
Antiseptic – antisséptico
Baby tooth – dente de leite
Backache – dor nas costas
Bandage – atadura
Bandage – curativo adesivo
Bed – cama
Bedpan – urinol
Bite – morder / mordida / picar / picada
Bleeding – hemorragia
Blood – sangue
Blood transfusion – transfusão de sangue
Blood type – tipo sanguíneo
Bone – osso
Break – quebrar
Broken – quebrado
Bruise – hematoma
Burn – queimar / queimadura
Canine – dente canino
Cavity – cárie
Chemist – farmácia
Choke – engasgar
Clinic – clínica
Cold – resfriado
Concussion – concussão
Condom – preservativo
Constipation – prisão de ventre
Contraceptive – anticoncepcional
Cough – tossir / tosse
Cramp – cãibra
Crown – coroa dentária
Crutch – muleta
Cure – curar / cura
Cut – cortar / corte
Dead – morto/a
Defecate – evacuar
Dehydrated – desidratado

Dental floss – fio dental
Dentist – dentista
Dentist's office – consultório de dentista
Dentures – dentadura
Diagnose – diagnosticar
Diagnosis – diagnóstico
Diarrhea – diarreia
Discharge (from hospital) – dar alta
Disease – doença
Dizziness – tontura
Dizzy – tonto/a
Doctor's office – consultório de médico/a
Donor – doador/a
Dosage – dosagem
Dressing – curativo
Drip – soro
Drops – gotas
Drugstore – farmácia
Earache – dor de ouvido
Emergency room / ER – pronto-socorro
Examine – examinar
Excrete – evacuar
Extract – extrair
Eyedrops – colírio
Eyesight – vista
Faint – desmaiar
False teeth – dentadura
First aid – primeiros socorros
Flu – gripe
Food poisoning – intoxicação alimentar
Fracture – fratura
Gargle – gargarejo
Gauze – gaze
General practitioner / GP – clínico/a geral
Graze – arranhão
Gums – gengivas
Haemorrhage – hemorragia
Health – saúde

Health plan - plano de saúde
Healthy - saudável
Heart attack - ataque cardíaco / infarto
Heartburn - azia
Height - altura
Hospital - hospital
Hospitalize - internar
Hypertensive - hipertenso
ICU - Intensive Care Unit - UTI - (Unidade de Tratamento Intensivo)
Ill - doente
Illness - doença
Indigestion - indigestão
Infection - infecção
Inflammation - inflamação
Injection - injeção
Injured - machucado/a
Injury - ferimento
Instructions for use (medicines) - bula
Itch - coçar / coceira
Laboratory - laboratório
Lump - caroço
Lump - nódulo
Medication / medicine - remédio
Menstruate - menstruar
Migraine - enxaqueca
Milk tooth - dente de leite
Molar - dente molar
Mouthwash - antisséptico bucal
Nausea - náusea / enjoo
Nerve - nervo
Nurse - enfermeiro/a
Ointment - pomada
Operate - operar
Operation - operação
Ophthalmologist - oftalmologista
Pain - dor
Painkiller - analgésico

Patient - paciente
Pharmacist - farmacêutico/a
Pharmacy - farmácia
Pill - pílula
Plaster - curativo adesivo
Plaster - esparadrapo
Plaster / plaster cast - gesso
Pregnant - grávida
Prescription - receita
Rash - erupção cutânea
Root - raiz
Root canal - canal dentário
Runny nose - nariz escorrendo
Scan - tomografia
Shock - choque
Sick - doente
Sickness - doença
Side effect - efeito colateral
Sneeze - espirrar / espirro
Sore throat - dor de garganta
Specialist - especialista
Splint - tala
Sprain - entorse
Sprain - torcer / torção
Sting - arder
Stitches - pontos
Stomach ache - dor de barriga
Stretcher - maca
Sunburn - queimadura solar
Sunstroke - insolação
Surgeon - cirurgião
Surgery - cirurgia
Swelling - inchaço
Swollen - inchado/a
Syringe - seringa
Syrup - xarope
Teeth - dentes
Thermometer - termômetro

Tooth – dente
Tooth decay – cárie dentária
Toothache – dor de dente
Tranquilizer – calmante
Treat – tratar
Treatment – tratamento
Twist – torcer / torção
Urinate – urinar
Vaccination – vacinação
Vomit – vomitar
Waiting room – sala de espera
Weak – fraco/a
Weight – peso
Wheelchair – cadeira de rodas
Wisdom tooth – dente do siso
Wound – ferida
X-ray – radiografar / radiografia

Hotel
Hotel

Useful phrases
Frases úteis

Do you have a reservation?
Você tem reserva?

We have no vacancies.
Não temos vagas.

We are fully booked.
Estamos lotados.

For how many nights?
Para quantas noites?

I'd like a room with an ocean view?
Eu gostaria de um quarto com vista para o mar.

Is breakfast included?
O café da manhã está incluso?

Is the gym free for guests?
A academia é gratuita para hóspedes?

Please fill in this form.
Por favor, preencha esta ficha.

I just need your signature.
Só preciso da sua assinatura.

Here's your key.
Aqui está sua chave.

Your room number is 37.
O número do seu quarto é 37.

The password to connect the wireless internet is Plaza 123.
A senha para se conectar à internet sem fio é Plaza 123.

Your room is on the second floor.
Seu quarto fica no segundo andar.

Can I leave my bags here?
Posso deixar minhas malas aqui?

Enjoy your stay.
Aproveite a sua estadia.

There's a message for you.
Tem um recado para você.

Do you want to leave a message?
Quer deixar um recado?

Dial nine for an outside line.
Digite nove para uma ligação externa.

The light doesn't work.
A luz não funciona.

I'll send someone to fix it.
Vou mandar alguém para consertá-lo.

There's no hot water.
Não tem água quente.

The toilet's clogged.
O vaso sanitário está entupido.

I'm leaving tomorrow.
Vou embora amanhã.

Please wake me up at seven.
Por favor, me acorde às sete.

You have to check out before 12 o'clock.
Você tem de fazer o check-out antes das 12 horas.

Useful words
Palavras úteis

Air conditioning – ar-condicionado
Alarm clock – despertador
Balcony – sacada
Bartender / barman / barmaid – atendente do bar
Bathroom – banheiro
Bathtub – banheira
Bed – cama
Bell – campainha
Bellhop / bellboy – mensageiro
Bill – conta
Blanket – cobertor
Blinds – persiana
Cable TV – TV a cabo
Car park – estacionamento
Chair – cadeira
Cleaner – faxineiro/a
Clerk – recepcionista
Coat hanger – cabide
Cot / crib – berço
Cupboard – armário
Curtain – cortina
Dinner – jantar
Door – porta
Doorman – porteiro
Double room – quarto de casal
Drawer – gaveta
Elevator – elevador
Entrance – entrada
Exit – saída
Fan – ventilador
Faucet – torneira
Five-star hotel – hotel cinco estrelas
Front desk – recepção
Full board – pensão completa
Garage – garagem

Guest – hóspede
Hairdryer – secador de cabelo
Half board – meia-pensão
Heater – aquecedor
Hostel – albergue
Housekeeper – governanta
Inn – pousada
Internet access – acesso à internet
Iron – passar a ferro
Lamp – lâmpada
Laundry – lavanderia
Lift – elevador
Lobby – saguão
Lounger – espreguiçadeira
Lunch – almoço
Maid – camareira
Manager – gerente
Mattress – colchão
Mezzanine – mezanino
Mini bar – frigobar
Mirror – espelho
Pillow – travesseiro
Pillowcase – fronha
Porter – carregador
Rate – tarifa
Receipt – recibo
Reception – recepção
Receptionist – recepcionista
Remote control – controle remoto
Restaurant – restaurante
Room – quarto
Room service – serviço de quarto
Safe – cofre
Sauna – sauna
Sheet – lençol
Shower – chuveiro
Single room – quarto de solteiro
Stairs – escada

Sunshade - guarda-sol
Swimming pool - piscina
Table - mesa
Tap - torneira
Telephone - telefone
Television / TV - televisão / TV
Telephone operator - telefonista
Toilet paper - papel higiênico
Towel - toalha
Voltage - voltagem
Waiter - garçom
Waitress - garçonete
Wake up call - serviço de despertador
Washbasin - pia

Immigration - Customs
Imigração - Alfândega

Useful phrases
Frases úteis

Please fill in this form.
Por favor, preencha este formulário.

Please wait behind the yellow line.
Por favor, aguarde atrás da linha amarela.

Your ticket and passport, please.
Sua passagem e passaporte, por favor.

Why are your here?
Por que você está aqui?

How long are you going to stay?
Quanto tempo você vai ficar?

Business or pleasure?
Negócios ou lazer?

I'm here on business.
Estou aqui a negócios.

I'm here on vacation / holiday.
Estou aqui de férias.

Where are you going to stay?
Onde vai ficar?

Your visa is valid for three months.
Seu visto é válido por três meses.

You can extend your visa for another three months.
Você pode prorrogar seu visto por mais três meses.

Do you have anything to declare?
Você tem algo a declarar?

No. I have nothing to declare.
Não. Eu não tenho nada a declarar.

Put all your bags here, please.
Coloque todas as suas malas aqui, por favor.

Open your bags, please.
Abra suas malas, por favor.

What's in here?
O que tem aqui dentro?

This is tax free.
Isto é isento de taxas.

You have to pay duty on this.
Você tem que pagar uma taxa sobre isto.

Useful words
Palavras úteis

Border – fronteira
Customs – alfândega
Customs declaration – declaração alfandegária
Customs officer – funcionário/a da alfândega
Date – data
Date of birth – data de nascimento
Departure from the country – saída do país
Divorced – divorciado/a
Driver's license – carteira de motorista
Duty-free store – loja franca
Entry into the country – entrada no país
Entry visa – visto de entrada
Exit visa – visto de saída
Extension – prorrogação
Federal police – polícia federal
First name – primeiro nome
Foreigner – estrangeiro/a
Frontier – fronteira
Height – altura
Identity card / ID – carteira de identidade
Immigration officer – funcionário/a da imigração
Import duty – taxa de importação

International vaccination certificate – atestado internacional de vacinação
Last name – sobrenome
Maiden name – sobrenome de solteira
Marital status – estado civil
Married – casado/a
Middle name – nome do meio
Nationality – nacionalidade
Passport control – controle de passaporte
Place of birth – local de nascimento
Place of residence – domicílio
Profession – profissão
Quarantine – quarentena
Regulation – regulamento
Separated – separado/a
Signature – assinatura
Single – solteiro/a
Surname – sobrenome
Weight – peso
Widow – viúva
Widower – viúvo

Post office
Correio

Useful phrases
Frases úteis

Where's the nearest post office?
Onde fica a agência dos correios mais próxima?

Can I help you?
Posso te ajudar?

I want to buy some stamps.
Eu quero comprar alguns selos.

How much is it to send this letter to Europe?
Quanto é para mandar esta carta para a Europa?

I'd like to send a telegram.
Eu gostaria de enviar um telegrama.

I want to mail this package to the US.
Eu quero enviar este pacote para os Estados Unidos.

What are the contents?
Qual é o conteúdo?

What is the value of the contents?
Qual é o valor do conteúdo?

Do you want to send this by airmail?
Você quer enviar isso por via aérea?

A registered letter is safer and quicker.
Uma carta registrada é mais segura e mais rápida.

How long does mail take to get to England?
Quanto tempo leva o correio para a Inglaterra?

How much is express mail?
Quanto é o correio expresso?

Please write the name and address of the sender on the back.
Por favor, escreva o nome e o endereço do remetente no verso.

Please fill in this customs form.
Por favor, preencha este formulário para a alfândega.

Here's your receipt.
Aqui está seu recibo.

Where can I mail this?
Onde posso postar isso?

Useful words
Palavras úteis

Addressee – destinatário/a
Adhesive tape – fita adesiva
Customs declaration – declaração alfandegária
Destination – destino
Direct mail – mala direta
Duct tape – fita adesiva
Envelope – envelope
Fragile – frágil
Glue – colar / cola
Letter – carta
Mail – correio
Mail box – caixa de correio
Mail carrier – carteiro/a
Package – pacote
Parcel – pacote
Post – correio
Post box – caixa de correio
Postage – postagem
Postal order – vale-postal
Postcard – cartão-postal
Postcode – código postal / CEP
Postman – carteiro

Postwoman - carteira
Printed matter - impresso
Scotch tape / sticky tape - durex
String - barbante
Tape - fita
Zip code - código postal / CEP

Restaurant
Restaurante

Useful phrases
Frases úteis

For here or to go?
Para comer aqui ou para viagem?

I'd like to book a table for Saturday.
Eu gostaria de reservar uma mesa para sábado.

A table for four, please.
Uma mesa para quatro pessoas, por favor.

Do you have a reservation?
Você tem uma reserva?

How many people in your party / group?
Quantas pessoas no seu grupo?

A party of four?
Um grupo de quatro?

Please follow me.
Sigam-me, por favor.

I'm sorry, we're full.
Sinto muito, estamos lotados.

There's a 20 minute wait.
Há uma espera de 20 minutos.

I can put your name on the waiting list.
Posso colocar seu nome na lista de espera.

Your name, please.
Seu nome, por favor.

Would you like to wait at the bar?
Gostaria de esperar no bar?

This table is reserved.
Esta mesa está reservada.

This table is free.
Esta mesa está livre.

Your table is ready.
A sua mesa está pronta.

I'm your server tonight.
Eu sou seu garçom hoje à noite.

Any appetizers?
Alguma entrada?

Would you like to see the menu?
Gostaria de ver o cardápio?

Would you like to see the wine list?
Gostaria de ver a carta de vinhos?

Would you like to try a glass of house wine?
Gostaria de experimentar uma taça de vinho da casa?

Would you like to order now?
Gostaria de pedir agora?

Can I take your order?
Posso anotar seu pedido?

Do you need help?
Você precisa de ajuda?

We have some local specialties.
Temos algumas especialidades locais.

Today's special is feijoada.
O prato do dia é feijoada.

I recommend the vatapá.
Eu recomendo o vatapá.

Vatapá is a typical Brazilian dish with shrimp and coconut milk.
Vatapá é um prato típico brasileiro com camarão e leite de coco.

Does it take a long time to prepare?
Demora muito para preparar?

I'll have the chef's special, please.
Vou querer o prato do chef, por favor.

Great choice, sir.
Ótima escolha, senhor.

How would you like your steak?
Como gostaria o seu bife?

Rare, medium or well done?
Malpassado, ao ponto, ou bem passado?

Does it come with French fries?
Vem com fritas?

And to drink?
E para beber?

Would you like your whisky straight up or on the rocks?
Gostaria de seu uísque puro ou com gelo?

Would you like to try a caipirinha?
Gostaria de experimentar uma caipirinha?

It's a typical Brazilian drink.
É uma bebida típica brasileira.

It's made with cachaça, limes, sugar and ice.
É feita com cachaça, limões, açúcar e gelo.

Still or sparkling water?
Água sem gás ou com gás?

I'll be right back with your drinks.
Volto já com suas bebidas.

Here you go.
Aqui está.

Enjoy your meal!
Bom apetite!

Is everything OK?
Está tudo bem?

Anything else?
Mais alguma coisa?

Another beer please.
Outra cerveja, por favor.

A little more please.
Mais um pouco, por favor.

May I take your plate?
Posso tirar seu prato?

The check / bill, please.
A conta, por favor.

Let's split the check / bill.
Vamos dividir a conta.

Let me get this.
Deixe comigo.

I'm sorry. We don't accept credit cards.
Sinto muito. Não aceitamos cartões de crédito.

We only accept cash or debit card.
Só aceitamos dinheiro ou cartão de débito.

Service is included.
O serviço está incluso.

There's a mistake here.
Há um erro aqui.

Here's your receipt.
Aqui está seu recibo.

Thank you. Come again.
Obrigado/a. Volte sempre.

Useful words
Palavras úteis

All-you-can eat (barbecue) – rodízio (de carne)
Appetizer – entrada
Bake – assar
Baked – assado/a
Barbecue – churrasco
Beans – feijão
Beer – cerveja
Boil – cozinhar na água
Boiled – cozido/a na água
Bottle – garrafa
Bowl – tigela
Bread – pão
Breakfast – café da manhã
Broil – grelhar
Broiled – grelhado/a
Butter – manteiga
Can – lata
Chef – chef de cozinha
Chicken – frango
Coconut water – água de coco
Coffee – café
Cold – frio/a
Cook – cozinheiro/a
Cream – creme
Creamy – cremoso/a
Cup – xícara
Dessert – sobremesa
Dinner – jantar
Dishwasher – lavador de pratos
Draft beer – chope
Drink – beber

Drink / beverage – bebida
Eat – comer
Fill – rechear
Filling – recheio
Fish – peixe
Fork – garfo
Fried – frito/a
Fruit – fruta
Fry – fritar
Glass – copo
Grill – grelhar
Grilled – grelhado/a
Host / hostess – recepcionista
Hot – quente
Hot / spicy – apimentado/a
Ice – gelo
Ingredient – ingrediente
Jug – jarra
Juice – suco
Kitchen – cozinha
Knife – faca
Lunch – almoço
Main course – prato principal
Maitre d'/ head waiter – maître
Meat – carne
Mineral water – água mineral
Napkin – guardanapo
Olive oil – azeite de oliva
Pan – panela
Pasta – massa
Pepper – pimenta
Plate – prato
Portion – porção
Potato – batata
Poultry – aves
Raw – cru
Receipt – recibo
Red wine – vinho tinto

Restaurant – restaurante
Restroom – banheiro
Rice – arroz
Roast – assar
Roasted – assado/a
Salad – salada
Salad dressing – molho para salada
Salt – sal
Sandwich – sanduíche
Sauce – molho
Saucer – pires
Seafood – frutos do mar
Seasoned – temperado/a
Seasoning – tempero
Serviette – guardanapo
Side order – acompanhamento
Slice – fatia
Smoked – defumado/a
Snack – lanche
Soda / soft drink – refrigerante
Soup – sopa
Spicy – picante
Spoon – colher
Starter – entrada
Steam – cozinhar no vapor
Steamed – cozido/a no vapor
Straw – canudinho
Sugar – açúcar
Sweetener – adoçante
Tablecloth – toalha de mesa
Tea – chá
Tin – lata
Tip – gorjeta
Toilet – banheiro
Toothpick – palito
Vegetables – legumes
Vegetarian – vegetariano
Vinegar – vinagre

Waiter – garçom
Waitress – garçonete
White wine – vinho branco

TIP DICA

FOOD BY THE KILO COMIDA POR KILO

Restaurants serving comida por quilo are very common all over Brazil and are extremely popular, especially at lunch time. They offer a wide variety of delicious, buffet-style food and you simply serve yourself and then pay according to the weight of the food on your plate.

Shopping
Compras

Useful phrases
Frases úteis

Let's go shopping.
Vamos às compras.

Can I help you?
Posso te ajudar?

Are you being served?
Está sendo atendido/a?

Do you sell beach hats?
Vocês vendem chapéu de praia?

Where can I buy gemstones?
Onde posso comprar pedras preciosas?

There's an artisan fair in the main square.
Tem uma feira de artesanato na praça principal.

You can buy Indian handicrafts there.
Você pode comprar artesanato indígena lá.

You can buy clothes at the mall.
Você pode comprar roupas no shopping.

I'm just looking, thank you.
Estou só olhando, obrigado/a.

What size are you?
Qual é seu tamanho?

What (shoe) size do you take?
Que número você calça?

Do you like any sneakers in the window?
Você gosta de algum tênis da vitrine?

Can I try it on?
Posso experimentar?

The changing rooms are here.
Os provadores estão aqui.

Is it OK?
Está bom?

It doesn't fit.
Não cabe.

It's too big.
É grande demais.

It's too small.
É pequeno demais.

I'd like a larger size.
Eu quero um tamanho maior.

Would you like a smaller size?
Você quer um tamanho menor?

We have this in small, medium, large and extra large.
Temos isto em tamanho pequeno, médio, grande e extra-grande.

It can be altered.
Pode ser ajustado.

Do you have any others?
Você tem outros?

We also have it in other colors.
Temos também em outras cores.

This one's on sale.
Este está em liquidação.

This one is cheaper.
Este é mais barato.

This one is more expensive.
Este é mais caro.

I'll take this one.
Vou levar este/a.

How much is it?
Quanto é?

We accept credit cards, debit cards, cash and traveler's checks.
Aceitamos cartões de crédito, cartões de débito, dinheiro e cheques de viagem.

There's a discount for cash payments.
Tem desconto para pagamentos em dinheiro.

Is it a present?
É para presente?

Would you like it gift-wrapped?
Quer embrulhado para presente?

Here's your receipt.
Aqui está seu recibo.

We cannot exchange goods without a receipt.
Não podemos trocar mercadorias sem o recibo.

Anything else?
Algo mais?

Please pay at the checkout.
Por favor, pague no caixa.

Useful words
Palavras úteis

Accessories – acessórios
Bag – sacola
Bargain – pechincha
Basket – cesta
Beachwear – moda praia
Beauty products – produtos de beleza
Bookstore / bookshop – livraria
Brand – marca
Cart – carrinho
Cash desk – caixa
Cashier – caixa
Checkout – caixa
Clothes – roupa
Cosmetics – cosméticos
Cotton – algodão
Dress – saia
Electrical appliances – eletrodomésticos / eletrônicos
Food court – praça de alimentação
Footwear – calçados
Guarantee – garantia
Household items – artigos para o lar
Hypermarket – hipermercado
Jewelry – bijuterias
Jewelry store – joalheria
Lingerie – moda íntima
Long – comprido/a
Loose – folgado/a
Material – tecido
Menswear – moda masculina
Mirror – espelho
Nylon – náilon
Perfumes – perfumes
Price – preço
Sales clerk – balconista
Salesperson – vendedor/a

Shoes – sapatos
Shop – loja
Shop assistant – balconista
Short – curto/a
Shorts – bermuda
Silk – seda
Souvenir – lembrança / suvenir
Stationery – papelaria
Store – loja
Street peddler / hawker – camelô
Sunglasses – óculos de sol
Supermarket – supermercado
Superstore – hipermercado
Synthetic fibre – fibra sintética
Tight – apertado/a
Toy – brinquedo
Trolley – carrinho
T-shirt – camiseta
Wide – largo/a
Womenswear – moda feminina
Wool – lã

TIP DICA

THERE IS / THERE ARE HÁ / TEM

In Portuguese, you use the words – tem – or – há – to express the existence of something, exactly the same as – 'there is' and 'there are' in English. Há is more formal and tem is more informal. For example:

There's a mirror here.
Tem um espelho aqui.

There are lots of shoe shops at the mall.
Há muitas lojas de sapatos no shopping.

Snack Bar
Lanchonete

Useful phrases
Frases úteis

What do you want?
O que você quer?

What would you like?
O que você gostaria?

I want a small coffee.
Eu quero um cafezinho.

Can I see the menu?
Posso ver o cardápio?

Do you have pizza?
Tem pizza?

What would you like to drink?
O que você gostaria de beber?

What fruit juices do you have?
Quais sucos de fruta você tem?

I’m going to have a really nice cold beer.
Vou tomar uma cerveja bem geladinha.

I’m going to have a ‘guaraná’ with ice and lemon.
Eu vou beber um guaraná com gelo e limão.

I’m going to have a cheese bread.
Eu vou querer um pão de queijo.

I’m going to order a turkey breast sandwich.
Eu vou pedir um sanduíche de peito de peru.

I’d like a hot ham and cheese sandwich, please.
Eu queria um misto quente, por favor.

I want a hamburger.
Eu quero um hambúrguer.

Useful words
Palavras úteis

Bread roll – pãozinho
Bread roll and butter – pão com manteiga
Brown sugar – açúcar mascavo
Cake – bolo
Cheese – queijo
Coconut water – água de coco
Coffee and milk – café com leite
Corn meal cake – bolo de fubá
Draft beer – chope
Egg – ovo
Espresso – café expresso
French roll – pão francês
Fruit juice – suco de frutas
Ham – presunto
Hot dog – cachorro quente
Ice – gelo

Milk - leite
Mineral water - água mineral
Napkin - guardanapo
Pancake - panqueca
Pie - torta
Pita bread - pão sírio
Rye bread - pão de centeio
Skimmed milk - leite desnatado
Sliced bread - pão de forma
Smoothie - vitamina
Snack - lanche
Soda / soft drink - refrigerante
Straw - canudinho
Sugar - açúcar
Sugarcane juice - caldo de cana
Sweet bread - pão doce
Sweetener - adoçante
Tea - chá

TIP DICA

1. SMALL SAVORY SNACKS SALGADINHOS

Salgadinhos are very popular in Brazil and can be found at snack bars (lanchonetes), bakeries (padarias), bars and at parties. A few all-time favourites are:

Coxinha - a pear-shaped, deep-fried chicken filled croquette

Pastel - a thin pastry envelope with different fillings, deep fried in vegetable oil. The most common fillings are ground beef (carne), cheese (queijo), hearts of palm (palmito), cream cheese (catupiry) and chicken (frango).

Kibe / Quibe - a torpedo-shaped, deep-fried croquette made with bulgur wheat and ground beef

Esfiha - a small pizza-like bread with a topping - usually meat, chicken or cream cheese, served either open or folded into a triangular pastry

Empadinha - a small, round, mini pie with a filling - often hearts of palm, shrimp (camarão), and chicken

Pão de queijo - cheese bread - a small, baked, cheese-flavored roll made with cassava or corn flour

Bolinho de bacalhau - deep-fried codfish croquette

2. DIMINUTIVES -INHO & -INHA

A diminutive is a word formed by adding letters to the end of a word to show that something or somebody is smaller. Diminutives are very popular in Brazil.

The most common diminutives are formed with the masculine suffix -inho, and the feminine suffix -inha. For example:

Cake - bolo
Small cake - bolinho

Pie - empada
Small pie - empadinha

The suffixes -zinho and -zinha are normally added to words that end in stressed vowels.

Café - coffee - cafezinho - small coffee
Irmã - sister - irmãzinha - little sister

Noun and adjective diminutives are the most common, but they can also be formed with other parts of speech. They are often used to convey intimacy, endearment and affection.

Hi, honey!
Oi, amorzinho!

Your baby is so cute.
Seu bebê é tão bonitinho.

Names also often have diminutive forms, like

Ronaldinho (from Ronaldo)
Carminha (from Maria do Carmo)

Sports
Esportes

Useful phrases
Frases úteis

Do you like sports?
Você gosta de esportes?

What sport do you play?
Que esporte você pratica?

I play tennis.
Jogo tênis.

Do you want to play?
Você quer jogar?

I cycle on the weekend.
Ando de bicicleta no fim de semana.

You can rent a bike.
Você pode alugar uma bicicleta.

I run 10 kilometers every day.
Corro 10 quilômetros todos os dias.

Where's the nearest gym?
Onde fica a academia mais perto?

You have to be a member.
Você precisa ser sócio.

The changing rooms are here.
Os vestiários estão aqui.

The stadium holds 70,000 spectators.
O estádio tem capacidade para 70.000 espectadores.

Today Santos is playing against Botafogo.
Hoje o Santos joga contra o Botafogo.

Would you like to watch the match?
Você gostaria de assistir ao jogo?

Who do you support?
Para quem você torce?

What's the score?
Qual é o placar?

Three to two for São Paulo.
Três a dois para o São Paulo.

A player was sent off.
Um jogador foi expulso.

Who won?
Quem ganhou?

Useful words
Palavras úteis

American football – futebol americano
Athletics – atletismo
Ball – bola
Baseball – beisebol
Basketball – basquete
Bat – taco
Beach volleyball – vôlei de praia
Beat – derrotar
Bicycle – bicicleta
Boxing – boxe
Champion – campeão/ã
Championship – campeonato
Coach – técnico/a
Court – quadra
Cycling – ciclismo
Draw – empate

Extra time - prorrogação
Extreme sports - esportes radicais
Fan - fã
Fishing - pesca
Football - futebol
Football match - partida de futebol
Game - jogo
Goal - gol
Golf - golf
Gymnastics - ginástica
Half time - intervalo
Handball - handebol
Hang gliding - asa-delta
Hiking - fazer trilha
Hockey - hóquei
Horseback riding / horse riding - hipismo
Ice skating - patinação no gelo
Injure - machucar
Interval - intervalo
Kick - chutar
League - liga
Lose - perder
Marathon - maratona
Motor racing - automobilismo
Mountain climbing - alpinismo
Pass - passar
Player - jogador/a
Point - ponto
Race - corrida
Referee - árbitro / juiz
Reserve - reserva
Result - resultado
Rowing - remo
Run - correr
Sailing - velejar
Score - marcar
Skating - patinação
Ski - esquiar

Skydiving – paraquedismo
Soccer – futebol
Sponsor – patrocinador
Sportsperson / sportsman / sportswoman – esportista
Supporter – torcedor
Surfboard – prancha de surfe
Surfing – surfe
Swim – nadar
Swimmer – nadador/a
Swimming – natação
Swimming pool – piscina
Table tennis – pingue-pongue
Team – time / equipe
Tennis – tênis
Tennis court – quadra de tênis
Throw – arremessar
Volleyball – vôlei
Win – ganhar

Taxi

Táxi

Useful phrases

Frases úteis

Take a taxi.
Pegue um táxi.

Are you free?
Está livre?

Yes, I'm free.
Sim, estou livre.

No, I'm not free.
Não, não estou livre.

How much is it to the Plaza Hotel?
Quanto custa até o Hotel Plaza?

Please get in the car.
Por favor, entre no carro.

Is this your bag?
Esta é a sua mala?

Can I help you with your baggage?
Posso te ajudar com as suas bagagens?

Please turn on the air conditioning.
Por favor, ligue o ar-condicionado.

Please turn off the air conditioning.
Por favor, desligue o ar-condicionado.

Where to?
Para onde?

Here's the address.
Aqui está o endereço.

Is it far from here?
É longe daqui?

I'm in a hurry.
Estou com pressa.

How long does it take to get there?
Quanto tempo leva para chegar lá?

It takes 20 minutes.
Leva 20 minutos.

It depends on the traffic.
Depende do trânsito.

There's a lot of traffic.
Tem bastante trânsito.

It's the rush hour.
É a hora do rush.

Here we are.
Aqui estamos.

Stop here, please.
Pare aqui, por favor.

You can drop me here.
Pode me deixar aqui.

I can't stop here.
Eu não posso parar aqui.

Wait here, please.
Espere aqui, por favor.

How much is it?
Quanto é?

How much to go there and back?
Quanto é para ir e voltar?

Do you take credit cards?
Você aceita cartão de crédito?

No, only cash.
Não, somente dinheiro.

Do you have change for R$ 50?
Você tem troco para R$ 50?

Sorry, I don't have any change.
Desculpe, eu não tenho nenhum trocado.

Keep the change.
Fique com o troco.

Here's your receipt.
Aqui está seu recibo.

Here's my card.
Aqui está meu cartão.

Call me if you need a taxi OK?
Ligue para mim se precisar de um táxi, O.k.?

I can pick you up at the hotel.
Posso te pegar no hotel.

Have a nice stay.
Tenha uma boa estadia.

Useful words
Palavras úteis

Avenue – avenida
Bag – mala
Block – quarteirão
Boot – porta-malas

Bottleneck – engarrafamento
Cab – táxi
Charge – cobrar
City center – centro da cidade
Corner – esquina
Crossing – cruzamento
Crosswalk – faixa de pedestres
Dead end – rua sem saída
Distance – distância
District – bairro
Door – porta
Downtown – centro da cidade
Drive – dirigir
Driver – motorista
Extra charge – taxa adicional
Fare – valor
Fast – rápido/a
Garage – garagem
Heater – aquecedor
Jack – macaco
Kilometer – quilômetro
Locked – travado/a
Near – perto
One-way street – rua de mão única
Parking lot – estacionamento
Passenger – passageiro/a
Radio / CD player – rádio / CD
Seat – banco
Seat belt – cinto de segurança
Shortcut – atalho
Slow – devagar
Spare tire / wheel – estepe
Stop – parada
Street – rua
Taxi – táxi
Taxi stand / taxi rank – ponto de táxi
Taximeter / meter – taxímetro
Tip – gorjeta

Tire / tyre – pneu
Toll – pedágio
Traffic jam – engarrafamento
Traffic light – sinal de trânsito
Trunk – porta-malas
Two-way street – rua de mão dupla
Way – caminho
Window – janela
Zebra crossing – faixa de pedestres

Telephone
Telefone

Useful phrases
Frases úteis

Hello. Is John there, please?
Alô. O John está, por favor?

Can I speak to Raphael, please?
Posso falar com Raphael, por favor?

This is he / she.
É ele / ela.

Who's speaking?
Quem está falando?

May I ask who's calling?
Quem deseja, por favor?

How can I help you?
Como posso te ajudar?

I'm calling about the conference.
Estou ligando a respeito da conferência.

This is Daniel (speaking).
Aqui é Daniel (falando).

Hold the line, please.
Aguarde na linha, por favor.

One moment, please.
Um momento, por favor.

I'll put you through to the Sales Department.
Vou te transferir para o departamento de vendas.

I'm sorry. The line's busy.
Sinto muito. A linha está ocupada.

The extension is engaged.
O ramal está ocupado.

Mr. Santos is not available at the moment.
O Sr. Santos não está disponível no momento.

Please try later.
Por favor, tente mais tarde.

Please leave a message after the tone.
Por favor, deixe um recado após o sinal.

Sorry. Wrong number.
Sinto muito. É engano.

The line's dead.
O telefone está mudo.

There's no cell signal.
Não há sinal de celular.

The battery is low.
A bateria está acabando.

I have to recharge the battery.
Tenho de recarregar a bateria.

I've been cut off.
A ligação caiu.

The connection's bad.
A conexão está ruim.

I can't hear you very well.
Eu não consigo te ouvir muito bem.

There's no reply.
Ninguém responde.

Please don't hang up.
Por favor, não desligue.

Can I leave a message?
Posso deixar um recado?

Can I take a message?
Posso anotar um recado?

Please tell him / her that Marcelo called.
Por favor, diga-lhe que o Marcelo ligou.

I'll call again later.
Vou ligar de novo mais tarde.

Ask him to call me back, please.
Peça para ele ligar para mim de volta, por favor.

What's your number?
Qual é seu número?

My number is 5632-7914.
Meu número é 5632-7914.

Call me.
Ligue para mim.

You can use the public phone.
Você pode usar o telefone público.

You have to dial the carrier code.
Você tem de digitar o código da operadora.

What's the country code for England?
Qual é o código de DDI para a Inglaterra?

What's the area code for Recife?
Qual é o código de DDD para Recife?

Thanks for calling.
Obrigado/a por ligar.

Useful words
Palavras úteis

Answering machine – secretária eletrônica

Call - ligar - ligação / telefonar - telefonema
Cell phone - celular
Charger - carregador
Code - código
Coin - moeda
Collect call - chamada a cobrar
Cordless phone - telefone sem fio
Dial - discar / teclar
Local call - chamada local
Long-distance call - ligação interurbana
Mobile phone - celular
Outside line - linha externa
Phone card - cartão telefônico
Pre-paid cell phone / mobile phone - celular pré-pago
Reverse charge call - chamada a cobrar
Telephone / phone - telefone
Telephonist - telefonista
Toll free number - número 0800

TIP DICA

1. PUBLIC PHONE ORELHÃO

Public telephones installed on the sidewalk are protected by a shell-shaped structure made of fiberglass resembling a big ear and are popularly known as an orelhão - 'big ear'.

2. THERE AÍ / LÁ

If you are speaking to somebody on the phone and you want to refer to 'there' where the listener is, you have to say - aí. Lá means 'there', but 'somewhere else'. For example, if two friends are speaking on phone from their homes, arranging to meet up later, one might say something like:

Is your brother there? Invite him to meet up with us later, there at the bar.
O seu irmão tá aí? Convide ele para nos encontrar mais tarde, lá no bar.

Tourism
Turismo

Useful phrases
Frases úteis

The tourist information office is near here.
O escritório de informações turísticas fica perto daqui.

Can I help you?
Posso te ajudar?

Today we're going to visit the Municipal Market.
Hoje nós vamos visitar o Mercado Municipal.

How long does it take?
Quanto tempo leva?

We leave at 7 o'clock.
Saímos às 7 h.

We return at 6 pm.
Voltamos às 18 h.

Be careful of pickpockets.
Cuidado com trombadinhas.

Take a copy of your passport.
Leve uma cópia do seu passaporte.

Leave valuables in the hotel safe.
Deixe coisas valiosas no cofre do hotel.

Is lunch included in the price?
O almoço está incluso no preço?

Haverá tempo livre para compras?
Will there be free time for shopping?

The gift shop's there.
A loja de presentes fica ali.

Follow me!
Sigam-me!

Podemos tirar fotos?
Can we take photos?

When was it built?
Quando foi construído?

This work is by Portinari.
Esta obra é de Portinari.

Can we walk?
Podemos ir a pé?

Can we go by van?
Podemos ir de van?

It's not open to the public.
Não está aberto ao público.

What are the opening times?
Qual é o horário de funcionamento?

The museum opens at 10 am and closes at 4 pm.
O museu abre às 10 h e fecha às 16 h.

The guidebook is free.
O guia é gratuito.

There's wheelchair access.
Tem acesso para cadeira de rodas.

The toilets are there.
Os banheiros ficam ali.

No swimming.
Proibido nadar.

It's dangerous to swim here.
É perigoso nadar aqui.

There are strong currents.
Há correntezas fortes.

There are sharks here.
Há tubarões aqui.

É seguro surfar aqui?
Is it safe to surf here?

Useful words
Palavras úteis

Amusement park – parque de diversões
Art gallery – galeria de arte
Audio guide – audioguia
Backpacker – mochileiro/a
Baroque – barroco
Baseball cap – boné
Bathing suit – maiô
Bay – baía
Beach – praia
Beach chair – cadeira de praia
Beach towel – toalha de praia
Beach umbrella – guarda-sol
Beachwear – roupa de praia
Bikini – biquíni
Boat trip – passeio de barco
Botanical gardens – jardim botânico
Bridge – ponte
Building – edifício
Building – prédio
Bus – ônibus
Cable car – teleférico
Cathedral – catedral
Cave – caverna
Chapel – capela
Church – igreja
City center – centro da cidade
City hall – prefeitura
Coast – costa
Coconut water – água de coco
Countryside – campo
Cultural center – centro cultural
Dive – mergulhar
Diving – mergulho
Downtown – centro da cidade
Entrance ticket – bilhete de entrada

Excursion – excursão
Exhibition – exposição
Fair – feira
Farm – fazenda
Flea market – feira hippie
Flipper – pé de pato
Forest – mata
Fort – fortaleza
Foundation – fundação
Group – grupo
Guide – guia
Guided tour – passeio com guia
Handicrafts – artesanato
Harbour – porto
High season – alta temporada
High tide – maré alta
Hill – morro
Holiday – férias
Hot spring – fonte de água termal
Island – ilha
Itinerary – itinerário
Lake – lago
Landscape – paisagem
Leaflet – folheto
Lifeguard – salva-vidas
Low season – baixa temporada
Low tide – maré baixa
Map – mapa
Monument – monumento
Mountain – montanha
Mountain range – serra
National park – parque nacional
Nightlife – vida noturna
Painter – pintor/a
Palace – palácio
Park – parque
Picnic – piquenique
Postcard – cartão-postal

Region – região
River – rio
Route – rota
Sand – areia
Sand dune – duna
Sculptor – escultor/a
Sea – mar
Seaside – litoral
Seaside / seashore – beira-mar
Seaside resort – balneário
Season – temporada
Sights – atrações turísticas
Sightseeing – turismo
Souvenir – lembrança / suvenir
Square – praça
Statue – estátua
Street map – guia de ruas
Sun hat – chapéu de sol
Sunbathe – tomar banho de sol
Sunglasses – óculos de sol
Sunscreen / sunblock – protetor solar
Sunshade – guarda-sol
Suntan – bronzeado
Suntan cream – bronzeador
Surfboard – prancha de surfe
Swim – nadar
Swim shorts – calção de banho
Swimming trunks – sunga
Swimsuit – maiô
Theme park – parque temático
Tide – maré
Tomb – túmulo
Tour – excursão
Tour – passeio
Tourism – turismo
Tourist – turista
Tower – torre
Town hall – prefeitura

Travel agency - agência de turismo
Travel agent - agente de viagens
Trip - passeio / viagem
Tropical rainforest - floresta tropical
Vacation - férias
Valley - vale
View - vista
Village - aldeia
Visitor - visitante
Waterfall - catarata / cachoeira
Waterfront - orla
Wave - onda
Wood - bosque
Zoo - zoológico

TIP DICA

JUNE FESTIVITIES FESTAS JUNINAS

The Festas Juninas are extremely popular all over Brazil. They celebrate the Catholic Saints:

Santo Antônio - Saint Anthony - 13th June
São João - Saint John - 24th June
São Pedro - Saint Peter - 29th June

The festivities usually take place in a large open space outdoors called an arraial and people dress up as farmers, or country folk (caipira) with straw hats and checked shirts or dresses. The traditional square dance is called a quadrilha. Some special dishes are:

Canjica - made from grated corn and coconut, boiled with water, milk, sugar and cinnamon
Pamonha - a sweet concoction of corn paste rolled and baked in fresh cornhusks

Pinhão – an edible pine seed
Pé de moleque – peanut brittle
Paçoca – a sweet made of ground peanuts and sugar

Typical drinks are mulled wine (vinho quente) and quentão – a hot punch with cachaça (commonly known as pinga), ginger, cinnamon and sugar.

Bonfires (fogueiras) and firework displays (fogos de artifício) are also important features of these colourful two-week celebrations.

Transport
Transporte

Useful phrases
Frases úteis

Can you help me please?
Pode me ajudar, por favor?

Where do you want to go?
Para onde você quer ir?

Buy a ticket at the ticket office.
Compre uma passagem na bilheteria.

The nearest subway station is on Avenida Paulista.
A estação de metrô mais próxima fica na Avenida Paulista.

Change trains at Paraíso subway station.
Faça baldeação na estação de metrô Paraíso.

This bus goes downtown / to the center.
Este ônibus vai para o centro.

Take this bus and get off at the main square.
Pegue este ônibus e desça na praça principal.

Check the timetable.
Verifique a tabela de horários.

How much is a ticket to Paraty?
Quanto é uma passagem para Paraty?

There are three types of bus: normal, executive and sleeper.
Tem três tipos de ônibus: convencional, executivo e leito.

A round-trip ticket is cheaper.
Uma passagem de ida e volta sai mais barato.

The train / bus leaves from platform five.
O trem / ônibus sai da plataforma cinco.

You have to change in Belo Horizonte.
Você tem que trocar de ônibus em Belo Horizonte.

Is this the bus to Rio?
Este é o ônibus para o Rio?

The bus leaves at 3 pm.
O ônibus sai às 15 h.

It leaves on time.
Ele sai no horário.

What time does it arrive?
A que horas chega?

It's a seven-hour trip.
São sete horas de viagem.

The distance from São Paulo to Rio is about 400 km.
A distância de São Paulo ao Rio é de mais ou menos 400 km.

The next ferry to Guarujá leaves at 10:30.
A próxima balsa para Guarujá sai às 10h30.

We stop in Jundiaí and Campinas.
Nós paramos em Jundiaí e em Campinas.

With two stops.
Com duas paradas.

Is there a toilet on board?
Tem um banheiro a bordo?

Este assento está ocupado?
Is this seat is taken?

Excuse me, that's my seat.
Com licença, este é o meu lugar.

Please tell me when we arrive there.
Por favor, me avise quando chegarmos.

Useful words
Palavras úteis

Air conditioning – ar-condicionado
Arrival – chegada
Arrive – chegar
Bag – mala
Baggage – bagagem
Bicycle / bike – bicicleta
Boat – barco
Bus station – estação rodoviária
Bus stop – ponto de ônibus
Bus terminal – terminal de ônibus
Cabin – cabine
Cable car – teleférico
Captain – capitão
Carriage – vagão
Conductor – cobrador
Connection – conexão
Crew – tripulação
Crossing – travessia
Cruise – cruzeiro
Delayed – atrasado
Depart – partir
Departure – partida
Dirt road – estrada de terra
Driver – motorista
Emergency exit – saída de emergência
Entrance – entrada
Excursion – excursão
Exit – saída
Far – longe
Fare – tarifa
Ferry – balsa / ferryboat
Get off (bus, train etc.) – descer (do trem / ônibus etc.)
Get on (bus, train etc.) – entrar (no trem / ônibus etc.)
Harbour – porto
Helicopter – helicóptero

Information – informações
Left-luggage office – guarda-volumes
Life jacket – colete salva-vidas
Lost and found – achados e perdidos
Luggage – bagagem
Luggage compartment – porta-malas
Luggage locker – guarda-volumes
Motorcycle / motorbike – motocicleta
Near – perto
Passenger – passageiro/a
Porter – carregador
Return ticket – passagem de ida e volta
Road – estrada
Round-trip ticket – passagem de ida e volta
Route – trajeto
Seat – assento
Ship – navio
Single ticket – passagem de ida
Streetcar – bonde
Subway – metrô
Subway station – estação de metrô
Terminal – terminal
Ticket – bilhete
Train station – estação de trem
Tram – bonde
Transportation / transport – transporte
Trip – viagem
Underground – metrô
Underground station – estação de metrô

TIP DICA

'ROTATION' OF CARS RODÍZIO

In an attempt to reduce the chaotic traffic situation in São Paulo, there is a system of 'rotation' or taking turns called – rodízio. The last number on the license plate of the car indicates which day your car cannot be used between the hours of 7 am and 10 am in the morning and from 5 pm to 8 pm in the evening. The days and numbers are as follows:

Monday – last numbers 1 and 2
Tuesday – last numbers 3 and 4
Wednesday – last numbers 5 and 6
Thursday – last numbers 7 and 8
Friday – last numbers 9 and 0

The Portuguese Alphabet

O alfabeto português

CD Track 20

1 Listen to the CD and repeat the alphabet in Portuguese.

A B C D E F G H I J K L M
N O P Q R S T U V W X Y Z

2 Now listen to the CD and repeat the abbreviations for the 26 states and the federal district of Brazil.

STATE	ABBREVIATION
Central-West region	
Distrito Federal	DF
Goiás	GO
Mato Grosso do Sul	MS
Mato Grosso	MT

Northeast region	
Alagoas	AL
Bahia	BA
Ceará	CE
Maranhão	MA
Paraíba	PB
Pernambuco	PE
Piauí	PI
Rio Grande do Norte	RN
Sergipe	SE
North region	
Acre	AC
Amazonas	AM
Amapá	AP
Pará	PA
Rondônia	RO
Roraima	RR
Tocantins	TO

Southeast region	
Espírito Santo	ES
Minas Gerais	MG
Rio de Janeiro	RJ
São Paulo	SP
South region	
Paraná	PR
Rio Grande do Sul	RS
Santa Catarina	SC

3 Do you know now how to spell your full name using the correct pronunciation of the letters in Portuguese?

Numbers

Números

NUMBER	NÚMERO
0	zero
1	um (masc.) / uma (fem.)
2	dois (masc.) / duas (fem.)
3	três
4	quatro
5	cinco
6	seis
7	sete
8	oito
9	nove

10	dez
11	onze
12	doze
13	treze
14	catorze
15	quinze
16	dezesseis
17	dezessete
18	dezoito
19	dezenove
20	vinte
21	vinte e um (masc.) / vinte e uma (fem.)
22	vinte e dois (masc.) / vinte e duas (fem.)
23	vinte e três
24	vinte e quatro
25	vinte e cinco
26	vinte e seis

27	vinte e sete
28	vinte e oito
29	vinte e nove
30	trinta
40	quarenta
50	cinquenta
60	sessenta
70	setenta
80	oitenta
90	noventa
100	cem
200	duzentos
300	trezentos
400	quatrocentos
500	quinhentos
600	seiscentos
700	setecentos
800	oitocentos
900	novecentos

1 000	mil
2 000 etc.	dois mil etc.
1 000 000	um milhão
1 000 000 000	um bilhão

Days of the week, months, seasons of the year

Dias da semana, meses, estações do ano

Days of the week

Dias da semana

Monday	segunda-feira / segunda
Tuesday	terça-feira / terça
Wednesday	quarta-feira / quarta
Thursday	quinta-feira / quinta
Friday	sexta-feira / sexta
Saturday	sábado
Sunday	domingo

Months

Meses

January	janeiro
February	fevereiro
March	março
April	abril
May	maio
June	junho
July	julho
August	agosto
September	setembro
October	outubro
November	novembro
December	dezembro

Seasons of the year

Estações do ano

spring	primavera
summer	verão
fall / autumn	outono
winter	inverno

Countries and nationalities

Países e nacionalidades

COUNTRY	PAÍS	NACIONALIDADE
South Africa	África do Sul	sul-africano
Germany	Alemanha	alemão
Australia	Austrália	australiano
Austria	Áustria	austríaco
Belgium	Bélgica	belga
Brazil	Brasil	brasileiro
Canada	Canadá	canadense
China	China	chinês
South Korea	Coreia do Sul	sul-coreano
Denmark	Dinamarca	dinamarquês

Egypt	Egito	egípcio
Scotland	Escócia	escocês
Spain	Espanha	espanhol
United States	Estados Unidos	americano
Finland	Finlândia	finlandês
France	França	francês
Greece	Grécia	grego
Holland	Holanda	holandês
India	Índia	indiano
England	Inglaterra	inglês
Ireland	Irlanda	irlandês
Italy	Itália	italiano
Japan	Japão	japonês
Norway	Noruega	norueguês
New Zealand	Nova Zelândia	neozelandês
Wales	País de Gales	galês
Portugal	Portugal	português
Russia	Rússia	russo
Sweden	Suécia	sueco

Switzerland	Suíça	suíço
Turkey	Turquia	turco

Verbs in Portuguese

Verbos em português

In Portuguese there are three kinds of verbs.

1 Verbs that end in **-ar**
e.g. falar – to speak
gostar – to like

2 Verbs that end in **-er**
e.g. comer – to eat
escrever – to write

3 Verbs that end in **-ir**
e.g. abrir – to open
assistir – to watch

Present Tense – Regular Verbs

1 To form the present tense of regular verbs ending in **-AR**, take off the **-AR** ending, and add the endings **-o**, **-a**, **-amos** and **-am**, as shown in the example in the table below.

To Speak – Falar

I speak	eu falo
you / he / she / it speaks	você / ele / ela fala
we speak	nós falamos
you (plural) / they speak	vocês / eles / elas falam

2 To form the present tense of regular verbs ending in **-ER**, take off the **-ER** ending, and add the endings **-o**, **-e**, **-emos** and **-em**, as shown in the example in the table below.

To Eat – Comer

I eat	eu como
you / he / she / it eats	você / ele / ela come
we eat	nós comemos
you (plural) / they eat	vocês / eles / elas comem

3 To form the present tense of regular verbs ending in **-IR**, take off the **-IR** ending, and add the endings **-o**, **-e**, **-imos** and **-em**, as shown in the example in the table below.

To Open – Abrir

I open	eu abro
you / he / she / it opens	você / ele / ela abre
we open	nós abrimos
you (plural) / they open	vocês / eles / elas abrem

Present Tense – Irregular Verbs

There are also several irregular verbs in Portuguese. Here are examples of the basic conjugations of a few very common irregular verbs in the present tense:

To Go – Ir

I go	eu vou
you / he / she / it goes	você / ele / ela vai
we go	nós vamos
you (plural) / they go	vocês / eles / elas vão

To Have – Ter

I have	eu tenho
you / he / she / it has	você / ele / ela tem
we have	nós temos
you (plural) / they have	vocês / eles / elas têm

To Come – Vir

I come	eu venho
you / he / she / it comes	você / ele / ela vem
we come	nós vimos
you (plural) / they come	vocês / eles / elas vêm

To See – Ver

I see	eu vejo
you / he / she / it sees	você / ele / ela vê
we see	nós vemos
you (plural) / they see	vocês / eles / elas veem

To Be - Ser/Estar

In Portuguese there are two verbs for 'to be' – ser – and – estar. They conjugate in the present tense like this:

TO BE	SER	ESTAR
I am	eu sou	eu estou
you / he / she / it is	você / ele / ela é	você / ele / ela está
we are	nós somos	nós estamos
you (plural) / they are	vocês / eles / elas são	vocês / eles / elas estão

Basically, the verb – ser – offers some kind of definition or describes a permanent condition. For example:

I'm Brazilian.
Eu sou brasileiro.

She's a doctor.
Ela é médica.

You are very nice.
Você é muito simpático.

The verb – estar – expresses situations, states or characteristics, often temporary. For example:

I'm tired.
Eu estou cansado.

We're here on holiday.
Nós estamos aqui de férias.

It's hot today.
Hoje está quente.

Compare the following sentences:

I'm English.
Eu sou inglês.

I'm in Brazil.
Eu estou no Brasil.

Past Tense - Regular Verbs

For the past tense of regular verbs ending in **-AR**, take off the **-AR** ending, and add the endings **-ei**, **-ou**, **-amos** and **-aram**, as shown in the example in the table below.

To Speak - Falar

I spoke	eu falei
you / he / she / it spoke	você / ele / ela falou
we spoke	nós falamos
you (plural) / they spoke	vocês / eles / elas falaram

For the past tense of regular verbs ending in **-ER**, take off the **-ER** ending, and add the endings **-i**, **-eu**, **-emos** and **-eram**, as shown in the example in the table below.

To Eat – Comer

I ate	eu comi
you / he / she / it ate	você / ele / ela comeu
we ate	nós comemos
you (plural) / they ate	vocês / eles / elas comeram

For the past tense of regular verbs ending in **-IR**, take off the **-IR** ending, and add the endings **-i**, **-iu**, **-imos** and **-iram**, as shown in the example in the table below.

To Open – Abrir

I opened	eu abri
you / he / she / it opened	você / ele / ela abriu
we opened	nós abrimos
you (plural) / they opened	vocês / eles / elas abriram

Future Tense

The simplest way to talk about the future is to use the simple present tense of the verb – **IR** (to go) – plus the infinitive of the verb. For example:

I'm going to eat.
Eu vou comer.

The verb – ir – conjugates like this in the simple present:

	IR	INFINITIVE
I am going to eat	eu vou	comer
you / he / she / it is going to eat	você / ele / ela vai	comer
we are going to eat	nós vamos	comer
you (plural) / they are going to eat	vocês / eles / elas vão	comer

Mini Dictionary English-Portuguese
Minidicionário inglês-português

All the words in this Mini Dictionary are extra words, which are not in the other parts of the book. If you do not find a word you are looking for here, please check the section related to the subject in the book.

A

A / an - um/a
Abortion - aborto
Above - acima
Accountant - contador/a
Adaptor - adaptador
Adult - adulto/a
Advertisement - anúncio
Advice - conselho
After - depois
Against - contra
Age - idade
Agree - concordar
All-you-can-eat (barbecue) - rodízio (de carne)
Almost - quase
Alone - sozinho/a

Already - já
Also - também
Altar - altar
Always - sempre
Ambassador - embaixador/a
And - e
Angry - zangado/a
Animal - animal
Ankle - tornozelo
Answer - responder / resposta
Ant - formiga
Any - qualquer
Apartment - apartamento
Apple - maçã
Apricot - damasco
Architect - arquiteto/a
Architecture - arquitetura
Argue - discutir
Arm - braço
Armchair - poltrona
Art dealer - marchand
Artery - artéria
Ashtray - cinzeiro
Ask - perguntar
Aspirin - aspirina
Atlantic Ocean - Oceano Atlântico
Atmosphere - atmosfera
Attic - sotão
Aubergine - beringela
Aunt - tia
Avocado - abacate
Avoid - evitar

B

Baby - bebê
Babysitter - babá
Backfire (car) - estourar
Backpack - mochila

Backpacker - mochileiro/a
Backyard - quintal
Bacon - bacon
Bad - mau / ruim
Baker - padeiro/a
Bakery - padaria
Ballet - balé
Banana - banana
Bank clerk - bancário/a
Baptism - batismo
Barbecue - churrasco
Barracks - quartel
Basement - porão
Basil - manjericão
Basket - cesta
Bathrobe - roupão
Battery - pilha
Bay - baía
Bay leaf - folha de louro
Be - ser / estar
Beanie - gorro
Beautiful - bonito/a / belo/a
Because - porque
Bee - abelha
Beef - carne bovina
Beet / beetroot - beterraba
Before - antes
Behind - atrás
Beige - bege
Bell (church) - sino
Bell (door) - campainha
Below - abaixo / embaixo
Belt - cinto
Bend - curva
Bet - apostar / aposta
Better - melhor
Between - entre
Bible - Bíblia

Bikini – biquíni
Binoculars – binóculo
Bird – pássaro
Birth certificate – certidão de nascimento
Biscuit – biscoito
Bite – morder / mordida
Bitter – amargo/a
Black – preto/a
Blackberry – amora
Bladder – bexiga
Blender – liquidificador
Blind – cego/a
Blister – bolha
Blizzard – nevasca
Blond – loiro/a
Blouse – blusa
Blue – azul
Body – corpo
Bonfire – fogueira
Book – livro
Boot – bota
Boring – chato/a
Boss – chefe
Both – ambos/as
Bottle – frasco
Bottle opener – abridor de garrafa
Bottom (deepest part) – fundo
Bottom (part of the body) – traseiro
Bowl – tigela
Bowling – boliche
Boy – menino / rapaz
Boyfriend – namorado
Bra – sutiã
Bracelet – pulseira
Brain – cérebro
Brazil nut – castanha-do-pará
Bread – pão
Breast – seio

Breeze - brisa
Bricklayer - pedreiro
Briefcase - pasta
Bring - trazer
British - britânico/a
Broccoli - brócolis
Bronchitis - bronquite
Brother - irmão
Brown - marrom
Brown (hair, eyes) - castanho/a
Brown bread - pão preto
Bruise - contusão
Bucket - balde
Buddhist - Budista
Bug (insect) - bicho
Bulb / light bulb - lâmpada
Bull - touro
But - mas
Butcher's - açougue
Butter - manteiga
Butterfly - borboleta
Buttocks - traseiro
Button - botão

C

Cabbage - repolho
Cage - gaiola
Cake - bolo
Cake shop - confeitaria
Calculator - calculadora
Calendar - calendário
Camera - câmera fotográfica
Campground / campsite - camping
Can opener - abridor de lata
Cancer - câncer
Candle - vela
Candy - bala
Candy store - confeitaria

Canoe - canoa
Caper - alcaparra
Carpenter - carpinteiro/a
Carpet - carpete
Carriage - vagão
Carrot - cenoura
Carry - carregar
Cashew - castanha-de-caju
Casino - cassino
Cat - gato/a
Catholic - católico/a
Cauliflower - couve-flor
Ceiling - teto
Celebration - comemoração
Celery - salsão
Cellar - porão
Century - século
Ceramics - cerâmica
Cereal - cereal
Chain - corrente
Change - trocar
Charcoal - carvão
Chat - bater papo / bate-papo
Check - verificar
Checked (pattern) - xadrez
Cheek - bochecha
Cheese - queijo
Cherry - cereja
Chess - xadrez
Chest - peito / tórax
Chewing gum - chiclete
Chicken breast - peito de frango
Chicken broth - caldo de galinha
Chicken pox - catapora
Child - criança
Chin - queixo
Chocolate - chocolate
Chocolate / sweet - bombom

Choose – escolher
Christ – Cristo
Christian – cristão
Christmas Eve – Véspera de Natal / Noite de Natal
Cider – sidra
Cigar – charuto
Cigarette – cigarro
City hall – prefeitura
Civil engineer – engenheiro/a civil
Civil servant – funcionário/a público/a
Clean – limpar / limpo/a
Clock – relógio
Close – fechar
Cloth – pano
Clubs (game of cards) – paus
Coat – casaco
Cockroach – barata
Cocoa – cacau
Cod – bacalhau
Coffee shop – lanchonete
Colleague – colega
Collision – colisão
Colorful – colorido/a
Comfortable – confortável
Comic / comic book – gibi
Common – comum
Communicate – comunicar
Communication – comunicação
Communion – Comunhão
Companion – companheiro/a
Complaint – reclamação
Complicated – complicado/a
Computer programmer – programador/a de computador
Concierge – zelador
Condensed milk – leite condensado
Condition – condição
Condom – camisinha

Confectioner - confeiteiro/a
Confectionery - confeitaria
Confusion - bagunça
Conservative - conservador/a
Constipation - prisão de ventre
Contact lenses - lentes de contato
Cookie - biscoito
Cooler / coolbox - isopor
Corkscrew - saca-rolhas
Corrupt - corrupto/a
Cough drop - pastilha para tosse
Countryside - interior / zona rural
Courgette - abobrinha
Course - curso
Court - tribunal
Cousin - primo/a
Cover charge - couvert artístico
Cow - vaca
Crab - caranguejo / siri
Cray fish - lagostim
Crazy - louco/a
Cream - creme de leite
Crèche - creche
Cross - atravessar
Cross (symbol) - cruz
Cucumber - pepino
Cutlery - talheres
Cycle track - ciclovia

D

Dad - papai
Dairy - laticínio
Damage - danificar
Dandruff - caspa
Dark - escuro/a
Date (go out with) - namorar
Dawn / daybreak - madrugada
Dead - morto/a

Deaf - surdo/a
Dear - querido/a
Death - morte
Decide - decidir
Deck - convés
Deep - profundo/a
Defrost - descongelar
Delicious - delicioso/a
Delivery - entrega
Democracy - democracia
Dentistry - odontologia
Deodorant - desodorante
Depression - depressão
Descendent - descendente
Dew - orvalho
Diabetes - diabetes
Diabetic - diabético/a
Diamond - diamante
Diamonds (game of cards) - ouros
Diaper - fralda
Dictionary - dicionário
Die - morrer
Diesel - diesel
Diet - regime
Different - diferente
Difficult - difícil
Dining room - sala de jantar
Direct - direto/a
Dirty - sujo/a
Disabled person - deficiente
Dishwasher - lava-louças
Disturb - incomodar
Document - documento
Dog - cachorro
Dolphin - golfinho
Dozen - dúzia
Dream - sonho
Dress - vestido

Dressing gown - roupão
Dressmaker - costureira
Drop - gota
Drunk - bêbado/a
Duck - pato/a
Dummy (for baby) - chupeta
During - durante
Duvet - edredom

E

Each - cada
Ear - orelha
Early - cedo
Earring - brinco
East - leste
Easy - fácil
Editor - editor/a
Education - educação
Education (subject of study) - pedagogia
Egg - ovo
Eggplant - beringela
Elbow - cotovelo
Election - eleição
Electric - elétrico/a
Electrical engineer - engenheiro/a elétrico/a
Electrician - eletricista
Electricity - eletricidade
Embassy - embaixada
Employee - funcionário/a
Empty - vazio/a
End - acabar / terminar / término
Engagement - noivado
Engineer - engenheiro/a
Engineering - engenharia
Engraving - gravura
Enough - suficiente
Entertainment - diversão
Environment - meio ambiente

Equality - igualdade
Every - todo
Everything - tudo
Example - exemplo
Experience - experiência
Expiration date - data de validade
Eye - olho
Eye drops - colírio
Eyelid - pálpebra

F

Face - rosto
Factory - fábrica
Fair - justo/a
Fall - cair
Family - família
Famous - famoso/a
Fan (person) - fã
Farm - fazenda
Farmer - fazendeiro/a
Fashion - moda
Fat - gordo/a
Fat (substance) - gordura
Father - pai
Father-in-law - sogro
Fatty - gorduroso/a
Fencing - esgrima
Festival - festival
Fiancé - noivo
Fiancée - noiva
Fig - figo
Fight - lutar / luta
Fill - encher
Filter - filtro
Fine (money) - multar / multa
Finger - dedo
Fingernail - unha
Finish - acabar / terminar / término

Fireplace - lareira
Firewood - lenha
Fireworks - fogos de artifício
First - primeiro/a
First floor - térreo
Fish - pescar
Fisherman - pescador
Fishmonger's - peixaria
Fix - consertar
Flag - bandeira
Flashlight - lanterna
Flat - apartamento
Flavor - sabor
Flea - pulga
Flip-flops - chinelos
Floor - chão
Flour - farinha
Flower - flor
Flower shop - floricultura
Flush - descarga / dar descarga
Fly - mosca
Flyover - viaduto
Food court - praça de alimentação
Foot - pé
For - para
Forehead - testa
Forester - guarda florestal
Forgive - perdoar
Free - gratuito/a
Freeze - congelar
Fresh - fresco/a
Fridge - geladeira
Friend - amigo/a
Frost - geada
Frozen - congelado/a
Fruit salad - salada de frutas
Frying pan - frigideira
Full - cheio/a

Fun - divertido/a
Funeral - enterro
Funny - engraçado/a
Furniture - móveis
Future - futuro

G

Gallon - galão
Garage - oficina mecânica
Garbage - lixo
Garbage collector - lixeiro/a
Gardener - jardineiro/a
Gargle - gargarejo
Garlic - alho
Gas - gás
Gay - gay
Gin - gim
Girl - menina
Girlfriend - namorada
Glad - contente
Glass - vidro
Glasses - óculos
Go for a walk - passear
Goat - bode
God - Deus
Goggles - óculos de natação
Gold - ouro
Good Friday - Sexta-feira Santa
Goose - ganso
Gospel - Evangelho
Government - governo
Governor - governador/a
Gram - grama
Grandchildren - netos
Granddaughter - neta
Grandfather - avô
Grandmother - avó
Grandparents - avós

Grandson - neto
Grape - uva
Grass - grama
Grater - ralador
Grave - túmulo
Gravy - molho de carne
Gray - cinza
Green - verde
Green bean - vagem
Greengrocer's - quitanda
Grocer's - mercearia
Ground beef - carne moída
Ground floor - térreo
Grow - crescer
Guava - goiaba
Guess - adivinhar
Guest - convidado/a
Guesthouse - pensão
Guitar (acoustic) - violão
Guitar (electric) - guitarra
Gum - chiclete

H

Hail - granizo
Half - metade
Ham - presunto
Hamburger - hambúrguer
Hammer - martelo
Hammock - rede
Hand - mão
Handbag - bolsa
Handcuffs - algemas
Handkerchief - lenço
Hangover - ressaca
Happen - acontecer
Hard - duro/a
Have - ter
Have fun - divertir-se

Have to - precisar
He - ele
Health insurance - seguro-saúde
Hearts (game of cards) - copas
Hearts of palm - palmito
Heavy - pesado/a
Heel - calcanhar
Heel (of shoe) - salto
Helmet - capacete
Hers - dela
High heels - salto alto
Hip - quadril
His - dele
Historical - histórico/a
Holiday (public etc.) - feriado
Holidays - férias
Home - lar
Honest - honesto/a
Honey - mel
Honeymoon - lua de mel
Hook - gancho
Horoscope - horóscopo
Horse - cavalo
Hostel - albergue
House - casa
Housewife / homemaker - dona de casa
Hug - abraçar / abraço
Human resources - recursos humanos
Humming bird - beija-flor
Hunting - caça
Husband - marido

I

I - eu
Ice cream - sorvete
Idiot - idiota
If - se
Important - importante

Impossible - impossível
In - em
Inch - polegada
Income tax - imposto de renda
Industry - indústria
Ink - tinta
Insect - inseto
Insect repellent - repelente de insetos
Inside - dentro
Insomnia - insônia
Inspector - fiscal
Institute - instituto
Instructions - instruções
Instructor - instrutor/a
Intelligent - inteligente
International - internacional
Interview - entrevista
Invitation - convite
Invite - convidar
It - ele/a
Its - dele/a

J

Jacket - jaqueta / paletó
Jacuzzi - hidromassagem
Jaguar - onça
Jam - geleia
Janitor - zelador
Jaw - maxilar
Jeans - jeans
Jelly - geleia
Jellyfish - água-viva
Jew - Judeu (man) / Judia (woman)
Joke - brincadeira
Joke (funny story) - piada
Journalist - jornalista
Judge - juiz/a
Jug - jarra

Jump - pular
Just - só

K

Kale - couve
Keep - manter
Keyboard - teclado
Kid - criança
Kidney - rim
Kilo - quilo
Kind - gentil
Kindergarten - jardim de infância
King - rei
Kiss - beijar / beijo
Knee - joelho
Knit - tricotar
Knot - nó

L

Label (on bottle etc.) - rótulo
Label (on clothes etc.) - etiqueta
Lace - renda
Lady - dama
Lamb - cordeiro
Language - idioma
Last - último/a
Last night - ontem à noite
Last week - semana passada
Late - tarde
Laugh - rir
Law - lei
Law (course) - direito
Lawyer - advogado/a
Leak - vazar / vazamento
Learn - aprender
Leather - couro
Leg - perna
Lemonade - limonada

Lentil - lentilha
Less - menos
Lesson - aula
Letter (alphabet) - letra
Lettuce - alface
Librarian - bibliotecário/a
Library - biblioteca
Lie down - deitar
Life - vida
Lift (in a car) - carona
Light - leve
Lighter - isqueiro
Lilac - lilás
Line (of people) - fila
Lip - lábio
Liter - litro
Literature - literatura
Live - viver
Liver - fígado
Living room - sala de estar
Lizard - lagarto
Lobster - lagosta
Lock - cadeado / fechadura
Lock (verb) - trancar
Lollipop - pirulito
Look for - procurar
Lorry - caminhão
Loud - alto/a
Love - amar / amor
Lungs - pulmões
Luxury - luxo

M

Magazine - revista
Maid - empregada doméstica
Main - principal
Mango - manga
Marble - mármore

Margarine - margarina
Marriage - casamento
Marry - casar
Martial arts - artes marciais
Mashed potatoes - purê de batata
Mass - missa
Masseur / masseuse - massagista
Match - fósforo
Mathematics - matemática
Mayonnaise / mayo - maionese
Mayor - prefeito/a
Me - mim
Meal - refeição
Measles - sarampo
Meatball - almôndega
Mechanic - mecânico/a
Mechanical engineer - engenheiro/a mecânico/a
Media - mídia
Meditation - meditação
Meet - encontrar
Meeting point - ponto de encontro
Melon - melão
Memory card - cartão de memória
Mess - bagunça
Meter - metro
Microwave - micro-ondas
Migraine - enxaqueca
Mile - milha
Milk - leite
Minced meat - carne moída
Miniature golf - minigolfe
Minor (underage) - menor de idade
Mint - hortelã
Mix - misturar
Modern - moderno/a
Moisturizer - hidratante
Mom / mum - mamãe
Monastery - monastério

Monitor – monitor
Monk – monge
Monkey – macaco
Month – mês
Moon – lua
More – mais
Mosque – mesquita
Mosquito – mosquito
Mother – mãe
Mother-in-law – sogra
Motorboat – lancha
Mouse – camundongo
Move (house) – mudar
Mud – lama
Mug – caneca
Mumps – caxumba
Muscle – músculo
Mushroom – cogumelo
Muslim – muçulmano/a
Mussel – mexilhão
Must – precisar
Mustard – mostarda
My – meu/s / minha/as

N

Nape (of the neck) – nuca
Nappy – fralda
Narrow – estreito/a
Nature – natureza
Navy-blue – azul-marinho
Necessary – necessário/a
Neck – pescoço
Necklace – colar
Need – precisar
Needle – agulha
Nephew – sobrinho
Nerve – nervo
New Year's Eve – Véspera de Ano-Novo

News - notícia
Newspaper - jornal
Newsstand - banca de jornal
Next - próximo/a
Next week - semana que vem
Nice - simpático/a
Nickname - apelido
Niece - sobrinha
Noise - barulho
Noisy - barulhento/a
North - norte
Nose - nariz
Notebook - caderno
Notice - aviso
Novel - romance
Now - agora
Nun - freira
Nut - noz

O

Ocean - oceano
Octopus - polvo
Of - de
Offer - oferecer / oferta
Oil - óleo
Old - velho/a
Olive - azeitona
Olympic Games - Jogos Olímpicos
Omelette - omelete
On - sobre
Onion - cebola
Only - somente
Open - abrir / aberto/a
Or - ou
Organ - órgão
Organic - orgânico/a
Our - nosso/a
Outside - fora

Oven - forno
Overpass - viaduto
Overtake - ultrapassar
Owner - dono/a
Oyster - ostra

P

Pacifier - chupeta
Pack (of cigarettes) - maço (de cigarros)
Pack of cards - baralho
Padlock - cadeado
Page - página
Painting - quadro
Pair - par
Pajamas - pijama
Pale - pálido/a
Pancake - panqueca
Panties - calcinha
Pants - calças
Pantyhose - meia-calça
Papaya - mamão
Parents - pais
Parmesan cheese - queijo parmesão
Parrot - papagaio
Parsley - salsinha
Passion fruit - maracujá
Past - passado
Pavement - calçada
Pea - ervilha
Peace - paz
Peach - pêssego
Peanut - amendoim
Pear - pera
Pedal boat - pedalinho
Pedestrian - pedestre
Pedestrian crossing - faixa de pedestre
Peel - descascar
Penis - pênis

Penknife - canivete
Pensioner - aposentado
People - pessoas / gente
Pepper - pimentão
Percentage - porcentagem
Perfect - perfeito/a
Period - período
Person - pessoa
Person with disabilites / disabled person - deficiente
Pet - animal de estimação
Physical therapist - fisioterapeuta
Pie - torta
Piece - pedaço
Pig - porco
Pigeon - pombo
Pillowcase - fronha
Pimple - espinha
Pineapple - abacaxi
Pink - cor-de-rosa
Pipe - cano
Pizza - pizza
Planet - planeta
Planet Earth - Planeta Terra
Plastic bag - saco plástico
Plug - plugue
Plum - ameixa
Plumber - encanador/a
Pocket - bolso
Poetry - poesia
Point - apontar
Poison - veneno
Poisonous - venenoso/a
Political party - partido político
Politician - político/a
Pollution - poluição
Poor - pobre
Popcorn - pipoca
Popular - popular

Pork - carne de porco
Porridge - mingau de aveia
Poster - cartaz
Pottery - cerâmica
Poverty - pobreza
Pray - rezar
Prayer - prece
President - presidente
Priest - padre
Prime minister - primeiro-ministro / primeira-ministra
Prison - prisão
Private - particular
Procession - procissão
Produce - produzir
Producer - produtor/a
Production - produção
Profit - lucro
Program - programa
Pronounce - pronunciar
Prostitute - prostituto/a
Protestant - protestante
Psychologist - psicólogo/a
Pull - puxar
Pumpkin - abóbora
Purple - púrpura / roxo/a
Push - empurrar

Q

Quail - codorna
Qualification - qualificação
Quality - qualidade
Quarter (three months) - trimestre
Queen - rainha
Question - pergunta
Queue - fila
Quickly - depressa
Quiet - tranquilo/a / silencioso/a
Quit - desistir

R

Rabbit - coelho
Racket - raquete
Raisin - uva-passa
Rare - raro/a
Raspberry - framboesa
Rat - rato/a
Razor blade - lâmina de barbear
Read - ler
Real estate agency - imobiliária
Real estate agent - corretor/a de imóveis
Recipe - receita
Record (best achievement) - recorde
Record (music etc.) - gravar
Recording - gravação
Recycle - reciclar
Red - vermelho/a
Refugee - refugiado/a
Refund - reembolso
Refuse - recusar
Refuse collector - lixeiro/a
Region - região
Relationship - relacionamento
Relative - parente
Relax - relaxar
Religion - religião
Repair - consertar / conserto
Rest - resto
Rest (relax) - descansar / descanso
Result - resultado
Retire - aposentar
Retired - aposentado/a
Retiree - aposentado/a
Rhythm - ritmo
Rib - costela
Rich - rico/a
Ride (in a car) - carona
Ring - anel

Risk – risco
Rissole – croquete
Rock – rocha
Rocket – rúcula
Roll – rolo
Roll (bread) – pãozinho
Romantic – romântico/a
Roof – telhado
Root – raiz
Rose – rosa
Round – redondo/a
Roundabout (traffic) – rotatória
Rubbish – lixo
Rude – mal-educado/a
Ruin – ruína
Rule – regra
Ruler – régua
Rum – rum

S

Sad – triste
Saddle – sela
Sailor – marinheiro
Saint – santo/a
Sales – vendas
Salmon – salmão
Same – mesmo/a
Sardine – sardinha
Sarong – canga
Satellite dish – antena parabólica
Sausage – linguiça / salsicha
Scarf – cachecol
Science – ciências
Scientist – cientista
Scrambled eggs – ovos mexidos
Screen – tela
Screw – parafuso
Screwdriver – chave de fenda

Seaside – beira-mar
Second – segundo/a
Seem – parecer
Sell-by date – data de validade
Senior citizen – idoso/a
Several – diversos/as
Sew – costurar
Shark – tubarão
Shave – fazer a barba
Shawl – xale
She – ela
Shelf – prateleira
Shell – concha
Shellfish – marisco
Shirt – camisa
Shoe polish – graxa de sapato
Short (height) – baixo/a
Short-sighted – míope
Shoulder – ombro
Shout – gritar
Show – mostrar
Shuffle (cards) – embaralhar
Shy / timid – tímido/a
Side – lado
Sidewalk – calçada
Sign (board with information) – placa
Silence – silêncio
Silent – silêncioso/a
Silver – prata
Silverware – talheres
Simple – simples
Since – desde
Sing – cantar
Sister – irmã
Skim milk / skimmed milk – leite desnatado
Skin – pele
Skirt – saia
Skull – crânio

Sky - céu
Slang - gíria
Sleep - dormir
Sleeping bag - saco de dormir
Sleeve - manga
Slice - fatiar / fatia
Slip - escorregar
Slippery - escorregadio/a
Slow - devagar
Smell - cheirar / cheiro
Smile - sorrir / sorriso
Smoke - fumar
Smoked - defumado/a
Smoker - fumante
Smoothie - vitamina
Snack bar - lanchonete
Sneakers - tênis
Snooker - sinuca
So - assim
Soap - sabonete
Social worker - assistente social
Socket - tomada
Socks - meias
Sofa - sofá
Soft - macio/a
Soldier - soldado/a
Sole (fish) - linguado
Somebody - alguém
Something - algo
Sometimes - às vezes
Song - canção
Soon - logo
Sour - azedo/a
South - sul
Soy sauce - molho de soja
Spades (game of cards) - espadas
Spaghetti - espaguete
Special - especial

Specialist - especialista
Spice - condimento
Spider - aranha
Spinach - espinafre
Spine - coluna vertebral
Spit (for meat) - espeto
Sponge - esponja
Spring (metal coil) - mola
Square - quadrado/a
Squid - lula
Stain - mancha
Staircase - escada
Steep - íngreme
Steep hill - ladeira
Step - passo
Stepdaughter - enteada
Stepfather - padrasto
Stepmother - madrasta
Stepson - enteado
Stew - ensopado
Still (adverb) - ainda
Stopcock - registro
Story - história
Stove - fogão
Strange - estranho/a
Strawberry - morango
Striped - listrado/a
Stroke (medical) - derrame
Stroller - carrinho de bebê
Stuffed - recheado/a
Stupid - estúpido/a
Style - estilo
Suffer - sofrer
Suggest - sugerir
Suit - terno
Sun - sol
Sunrise - nascer do sol
Sunset - pôr do sol

Sunshade - toldo
Surprise - surpresa
Sweat - suar / suor
Sweater - suéter
Sweatshirt - moletom
Sweet - bala
Sweet (adjective) - doce
Sweetcorn - milho verde
Synagogue - sinagoga
Systems analyst - analista de sistemas

T

Tail - rabo
Take - levar
Tall - alto/a
Tangerine - tangerina / mexerica
Teacher - professor/a
Technician - técnico/a
Technique - técnica
Telemarketing operator - operador/a de telemarketing
Temple (building) - templo
Temple (on the head) - têmpora
Tendon - tendão
Tent - barraca
Terrace - terraço
That - esse/a
The - o/s / a/s
The day after tomorrow - depois de amanhã
The day before yesterday - anteontem
Theirs - deles/as
Them - lhes
There - aí / ali / lá
There is / there are - tem /há
Thermos flask - garrafa térmica
These - estes/as
They - eles/as
Thick - grosso/a
Thigh - coxa

Thin - fino/a
Thin (person) - magro/a
Third - terceiro/a
This - este/a
Thongs - chinelos
Those - esses/as
Through - através
Thumb - polegar
Thunderstorm - temporal
Tie - gravata
Tights - meia-calça
Till / until - até
Time (occasion) - vez
Tired - cansado/a
Tissue - lenço de papel
To - para
Toad - sapo
Toast - torrada
Toaster - torradeira
Today - hoje
Toe - dedo do pé
Together - junto
Token - ficha
Tomato - tomate
Tomorrow - amanhã
Tongue - língua
Tonight - hoje à noite
Too much - demais
Tool - ferramenta
Toothpaste - pasta de dente
Torch - lanterna
Touch - tocar
Tow - rebocar
Tow truck - guincho
Town hall - prefeitura
Tractor - trator
Tradition - tradição
Traffic circle - rotatória

Traffic lights - semáforo
Trail - trilha
Trainers (shoes) - tênis
Translate - traduzir
Tray - bandeja
Tree - árvore
Tripe - dobradinha
Trousers - calças
Trout - truta
Truck - caminhão
Try - tentar
T-shirt - camiseta
Tube - tubo
Tumour - tumor
Tuna - atum
Tunnel - túnel
Turkey - peru
Turn - virar
Turtle - tartaruga
Twins - gêmeos/as

U

Ugly - feio/a
Ulcer - úlcera
Ultrasound - ultrassom
Ultra-violet rays - raios ultravioletas
Uncle - tio
Uncool - chato/a
Under - sob
Underpants - cueca
Unfair - injusto/a
Unfortunately - infelizmente
Uniform - uniforme
Universe - universo
Until - até
Use - usar
Useful - útil

V

Vacation - férias
Vagina - vagina
Valid - válido/a
Value - valor
Vanilla - baunilha
Vase - vaso
Veal - vitela
Vehicle - veículo
Vein - veia
Veterinarian / vet - veterinário/a
Violin - violino
Vitamin - vitamina
Vodka - vodca
Voice - voz
Vote - votar
Vulture - urubu

W

Waist - cintura
Walk - andar / caminhar
Wall - muro / parede
Wallet - carteira
War - guerra
Was - era
Washing powder - sabão em pó
Washing-machine - máquina de lavar roupa
Wasp - vespa
Watch - relógio
Watchman - vigia
Watermelon - melancia
We - nós
Weak - fraco/a
Wedding - casamento
West - oeste
Wet - molhado/a
Whale - baleia
Wheat - trigo

White – branco/a
Widow – viúva
Widower – viúvo
Wife – esposa
Wig – peruca
Wild boar – javali
Winner – ganhador/a
Wish – desejar / desejo
With – com
Woman – mulher
Wood – madeira
Word – palavra
Work (operate well) – funcionar
Worker – operário/a
Worker – trabalhador/a
Working days – dias úteis
World Cup – Copa do Mundo
Worried – preocupado/a
Worse – pior
Wrist – pulso
Writer – escritor/a
Wrong – errado/a

X

Yacht – iate
Yellow – amarelo/a
Yesterday – ontem
Yesterday afternoon – ontem à tarde
Yogurt – iogurte
Young – jovem

Z

Zipper – zíper
Zucchini – abobrinha

Mini Dictionary Portuguese-English

Minidicionário português-inglês

All the words in this Mini Dictionary are extra words, which are not in the other parts of the book. If you do not find a word you are looking for here, please check the section related to the subject in the book.

A

A/as – the
Abacate – avocado
Abacaxi – pineapple
Abaixo – below
Abelha – bee
Abóbora – pumpkin
Abobrinha – zucchini / courgette
Aborto – abortion
Abraçar / abraço – hug
Abridor de garrafa – bottle opener
Abridor de lata – can opener
Abrir / aberto/a – open
Acabar – finish
Acima – above
Acontecer – happen

Açougue – butcher's
Adaptador – adaptor
Adivinhar – guess
Adulto/a – adult
Advogado/a – lawyer
Agora – now
Água-viva – jellyfish
Agulha – needle
Aí / ali / lá – there
Ainda – still
Albergue – hostel
Alcaparra – caper
Alface – lettuce
Algemas – handcuffs
Algo – something
Alguém – somebody
Alho – garlic
Almôndega – meatball
Altar – altar
Alto/a – loud / tall
Amanhã – tomorrow
Amar / amor – love
Amarelo/a – yellow
Amargo/a – bitter
Ambos/as – both
Ameixa – plum
Amendoim – peanut
Amigo/a – friend
Amora – blackberry
Analista de sistemas – systems analyst
Andar – walk
Anel – ring
Animal – animal
Animal de estimação – pet
Antena parabólica – satellite dish
Anteontem – the day before yesterday
Antes – before
Anúncio – advertisement

Apartamento - apartment / flat
Apelido - nickname
Apontar - point
Aposentado/a - retired / retiree / pensioner
Aposentar - retire
Apostar / aposta - bet
Aprender - learn
Aranha - spider
Arquiteto/a - architect
Arquitetura - architecture
Artéria - artery
Artes marciais - martial arts
Árvore - tree
Às vezes - sometimes
Aspirina - aspirin
Assim - so
Assistente social - social worker
Até - till / until
Atmosfera - atmosphere
Atrás - behind
Através - through
Atravessar - cross
Atum - tuna
Aula - lesson
Aviso - notice
Avô - grandfather
Avó - grandmother
Avós - grandparents
Azedo/a - sour
Azeitona - olive
Azul - blue
Azul-marinho - navy-blue

B

Babá - babysitter
Bacalhau - cod
Bacon - bacon
Bagunça - mess / confusion

Baía - bay
Baixo/a - short
Bala - candy / sweet
Balde - bucket
Balé - ballet
Baleia - whale
Banana - banana
Banca de jornal - newsstand
Bancário/a - bank clerk
Bandeira - flag
Bandeja - tray
Baralho - pack of cards
Barata - cockroach
Barraca - tent
Barulhento/a - noisy
Barulho - noise
Bater papo / bate-papo - chat
Batismo - baptism
Baunilha - vanilla
Bêbado/a - drunk
Bebê - baby
Bege - beige
Beija-flor - humming bird
Beijar / beijo - kiss
Beira-mar - seaside
Belo/a - beautiful
Beringela - eggplant / aubergine
Beterraba - beet / beetroot
Bexiga - bladder
Bíblia - Bible
Biblioteca - library
Bibliotecário/a - librarian
Bicho - bug (insect)
Binóculo - binoculars
Biquíni - bikini
Biscoito - cookie / biscuit
Blusa - blouse
Bochecha - cheek

Bode - goat
Bolha - blister
Boliche - bowling
Bolo - cake
Bolsa - handbag
Bolso - pocket
Bombom - chocolate / sweet
Bonito/a - beautiful
Borboleta - butterfly
Bota - boot
Botão - button
Braço - arm
Branco/a - white
Brincadeira - joke
Brinco - earring
Brisa - breeze
Britânico/a - British
Brócolis - broccoli
Bronquite - bronchitis
Budista - Buddhist

C

Caça - hunting
Cacau - cocoa
Cachecol - scarf
Cachorro - dog
Cada - each
Cadeado - lock / padlock
Caderno - notebook
Cair - fall
Calçada - sidewalk / pavement
Calcanhar - heel
Calças - pants / trousers
Calcinha - panties
Calculadora - calculator
Caldo de galinha - chicken broth
Calendário - calendar
Câmera fotográfica - camera

Caminhão - truck / lorry
Caminhar - walk
Camisa - shirt
Camiseta - T-shirt
Camisinha - condom
Campainha - bell
Camping - campground / campsite
Camundongo - mouse
Canção - song
Câncer - cancer
Caneca - mug
Canga - sarong
Canivete - penknife
Cano - pipe
Canoa - canoe
Cansado/a - tired
Cantar - sing
Capacete - helmet
Caranguejo - crab
Carne bovina - beef
Carne moída - ground beef / minced meat
Carona - ride / lift
Carpete - carpet
Carpinteiro/a - carpenter
Carregar - carry
Carrinho de bebê - stroller
Cartão de memória - memory card
Cartaz - poster
Carteira - wallet
Carvão - charcoal
Casa - house
Casaco - coat
Casamento - wedding / marriage
Casar - marry
Caspa - dandruff
Cassino - casino
Castanha-de-caju - cashew
Castanha-do-pará - Brazil nut

Castanho/a - brown (hair, eyes)
Catapora - chicken pox
Católico/a - Catholic
Cavalo - horse
Caxumba - mumps
Cebola - onion
Cedo - early
Cego - blind
Cenoura - carrot
Cerâmica - ceramics / pottery
Cereal - cereal
Cérebro - brain
Cereja - cherry
Certidão de nascimento - birth certificate
Cesta - basket
Céu - sky
Chão - floor
Charuto - cigar
Chato/a - uncool / boring
Chave de fenda - screwdriver
Chefe - boss
Cheio/a - full
Cheirar / cheiro - smell
Chiclete - gum / chewing gum
Chinelos - thongs / flip-flops
Chocolate - chocolate
Chupeta - pacifier / dummy (for baby)
Churrasco - barbecue
Ciclovia - cycle track
Ciências - science
Cientista - scientist
Cigarro - cigarette
Cinto - belt
Cintura - waist
Cinza - gray
Cinzeiro - ashtray
Codorna - quail
Coelho - rabbit

Cogumelo - mushroom
Colar - necklace
Colega - colleague
Colírio - eye drops
Colisão - collision
Colorido/a - colorful
Coluna vertebral - spine
Com - with
Comemoração - celebration
Companheiro/a - companion
Complicado/a - complicated
Comum - common
Comunhão - communion
Comunicação - communication
Comunicar - communicate
Concha - shell
Concordar - agree
Condição - condition
Condimento - spice
Confeitaria - confectionery / candy store / cake shop
Confeiteiro/a - confectioner
Confortável - comfortable
Congelado/a - frozen
Congelar - freeze
Conselho - advice
Consertar / conserto - repair / fix
Conservador/a - conservative
Contador/a - accountant
Contente - glad
Contra - against
Contusão - bruise
Convés - deck
Convidado/a - guest
Convidar - invite
Convite - invitation
Copa do Mundo - World Cup
Copas - hearts (game of cards)
Cordeiro - lamb

Cor-de-rosa - pink
Corpo - body
Corrente - chain
Corretor/a de imóveis - real estate agent
Corrupto/a - corrupt
Costela - rib
Costurar - sew
Costureira - dressmaker
Cotovelo - elbow
Couro - leather
Couve - kale
Couve-flor - cauliflower
Couvert artístico - cover charge
Coxa - thigh
Crânio - skull
Creche - crèche
Creme de leite - cream
Crescer - grow
Criança - child / kid
Cristão - Christian
Cristo - Christ
Croquete - rissole
Cruz - cross
Cueca - underpants
Curso - course
Curva - bend

D

Dama - lady
Damasco - apricot
Danificar - damage
Data de validade - expiration date / sell-by date
De - of
Decidir - decide
Dedo - finger
Dedo do pé - toe
Deficiente - person with disabilites / disabled person
Defumado/a - smoked

Deitar - lie down
Dela - hers
Dele - his
Dele/a - its
Deles/as - theirs
Delicioso - delicious
Demais - too much
Democracia - democracy
Dentro - inside
Depois - after
Depois de amanhã - the day after tomorrow
Depressa - quickly
Depressão - depression
Derrame - stroke
Descansar / descanso - rest
Descarga / dar descarga - flush
Descascar - peel
Descendente - descendent
Descongelar - defrost
Desde - since
Desejar / desejo - wish
Desistir - quit
Desodorante - deodorant
Deus - God
Devagar - slow
Diabetes - diabetes
Diabético/a - diabetic
Diamante - diamond
Dias úteis - working days
Dicionário - dictionary
Diesel - diesel
Diferente - different
Difícil - difficult
Direito - law (course)
Direto/a - direct
Discutir - argue
Diversão - entertainment
Diversos/as - several

Divertido/a – fun
Divertir-se – have fun
Dobradinha – tripe
Doce – sweet
Documento – document
Dona de casa – housewife / homemaker
Dono/a – owner
Dormir – sleep
Durante – during
Duro/a – hard
Dúzia – dozen

E

E – and
Editor/a – editor
Edredom – duvet
Educação – education
Ela – she
Ele – he
Ele/a – it
Eleição – election
Eles / elas – they
Eletricidade – electricity
Eletricista – electrician
Elétrico/a – electric
Em – in
Embaixada – embassy
Embaixador/a – ambassador
Embaixo – below
Embaralhar – shuffle (cards)
Empregada doméstica – maid
Empurrar – push
Encanador/a – plumber
Encher – fill
Encontrar – meet
Engenharia – engineering
Engenheiro/a – engineer
Engenheiro/a civil – civil engineer

Engenheiro/a elétrico/a – electrical engineer
Engenheiro/a mecânico/a – mechanical engineer
Engraçado/a – funny
Ensopado – stew
Enteada – stepdaughter
Enteado – stepson
Enterro – funeral
Entre – between
Entrega – delivery
Entrevista – interview
Enxaqueca – migraine
Era – was
Errado/a – wrong
Ervilha – pea
Escada – staircase
Escolher – choose
Escorregadio/a – slippery
Escorregar – slip
Escritor/a – writer
Escuro/a – dark
Esgrima – fencing
Espadas – spades (game of cards)
Espaguete – spaghetti
Especial – special
Especialista – specialist
Espeto – spit
Espinafre – spinach
Espinha – pimple
Esponja – sponge
Esposa – wife
Esse/a – that
Esses / essas – those
Estar – be
Este/a – this
Estes/as – these
Estilo – style
Estourar – backfire (car)
Estranho/a – strange

Estreito/a - narrow
Estúpido/a - stupid
Etiqueta - label
Eu - I
Evangelho - Gospel
Evitar - avoid / stop
Exemplo - example
Experiência - experience

F

Fã - fan (person)
Fábrica - factory
Fácil - easy
Faixa de pedestre - pedestrian crossing
Família - family
Famoso/a - famous
Farinha - flour
Fatiar / fatia - slice
Fazenda - farm
Fazendeiro/a - farmer
Fazer a barba - shave
Fechadura - lock
Fechar - close
Feio/a - ugly
Feriado - holiday
Férias - vacation / holidays
Ferramenta - tool
Festival - festival
Ficha - token
Fígado - liver
Figo - fig
Fila - line / queue
Filtro - filter
Fino/a - thin
Fiscal - inspector
Fisioterapeuta - physical therapist
Flor - flower
Floricultura - flower shop

Fogão - stove
Fogos de artifício - fireworks
Fogueira - bonfire
Folha de louro - bay leaf
Fora - outside
Formiga - ant
Forno - oven
Fósforo - match
Fraco/a - weak
Fralda - diaper / nappy
Framboesa - raspberry
Frasco - bottle
Freira - nun
Fresco/a - fresh
Frigideira - frying pan
Fronha - pillowcase
Fumante - smoker
Fumar - smoke
Funcionar - work
Funcionário/a - employee
Funcionário/a público/a - civil servant
Fundo - bottom
Futuro - future

G

Gaiola - cage
Galão - gallon
Gancho - hook
Ganhador/a - winner
Ganso - goose
Gargarejo - gargle
Garrafa térmica - thermos flask
Gás - gas
Gato/a - cat
Gay - gay
Geada - frost
Geladeira - fridge
Geleia - jelly / jam

Gêmeos/as - twins
Gente - people
Gentil - kind
Gibi - comic / comic book
Gim - gin
Gíria - slang
Goiaba - guava
Golfinho - dolphin
Gordo/a - fat
Gordura - fat
Gorduroso/a - fatty
Gorro - beanie /cap
Gota - drop
Governador/a - governor
Governo - government
Grama - grass
Grama - gram
Granizo - hail
Gratuito/a - free
Gravação - recording
Gravar - record
Gravata - tie
Gravura - engraving
Graxa de sapato - shoe polish
Gritar - shout
Grosso/a - thick
Guarda florestal - forester
Guerra - war
Guincho - tow truck
Guitarra - guitar

H

Há - there is / there are
Hambúrguer - hamburger
Hidratante - moisturizer
Hidromassagem - Jacuzzi
História - story
Histórico/a - historical

Hoje – today
Hoje à noite – tonight
Honesto/a – honest
Horóscopo – horoscope
Hortelã – mint

I

Iate – yacht
Idade – age
Idioma – language
Idiota – idiot
Idoso/a – senior citizen
Igualdade – equality
Imobiliária – real estate agency
Importante – important
Impossível – impossible
Imposto de renda – income tax
Incomodar – disturb
Indústria – industry
Infelizmente – unfortunately
Íngreme – steep
Injusto/a – unfair
Inseto – insect
Insônia – insomnia
Instituto – institute
Instruções – instructions
Instrutor/a – instructor
Inteligente – intelligent
Interior – countryside
Internacional – international
Iogurte – yogurt
Irmã – sister
Irmão – brother
Isopor – cooler / coolbox
Isqueiro – lighter

J

Já – already

Jaqueta - jacket
Jardim de infância - kindergarten
Jardineiro/a - gardener
Jarra - jug
Javali - wild boar
Jeans - jeans
Joelho - knee
Jogos Olímpicos - Olympic Games
Jornal - newspaper
Jornalista - journalist
Jovem - young
Judeu / Judia - Jew
Juiz/a - judge
Junto - together
Justo/a - fair

L

Lábio - lip
Ladeira - steep hill
Lado - side
Lagarto - lizard
Lagosta - lobster
Lagostim - cray fish
Lama - mud
Lâmina de barbear - razor blade
Lâmpada - bulb / light bulb
Lancha - motorboat
Lanchonete - snack bar / coffee shop
Lanterna - flashlight / torch
Lar - home
Lareira - fireplace
Laticínio - dairy
Lava–louças - dishwasher
Lei - law
Leite - milk
Leite condensado - condensed milk
Leite desnatado - skim milk / skimmed milk
Lenço - handkerchief

Lenço de papel – tissue
Lenha – firewood
Lentes de contato – contact lenses
Lentilha – lentil
Ler – read
Leste – east
Letra – letter
Levar – take
Leve – light
Lhes – them
Lilás – lilac
Limonada – lemonade
Limpar / limpo/a – clean
Língua – tongue
Linguado – sole
Linguiça – sausage
Liquidificador – blender
Listrado/a – striped
Literatura – literature
Litro – liter
Livro – book
Lixeiro/a – garbage collector / refuse collector
Lixo – garbage / rubbish
Logo – soon
Loiro/a – blond
Louco/a – crazy
Lua – moon
Lua de mel – honeymoon
Lucro – profit
Lula – squid
Lutar / luta – fight
Luxo – luxury

M

Maçã – apple
Macaco – monkey
Macio/a – soft
Maço (de cigarros) – pack (of cigarettes)

Madeira - wood
Madrasta - stepmother
Madrugada - dawn / daybreak
Mãe - mother
Magro/a - thin
Maionese - mayonnaise / mayo
Mais - more
Mal-educado/a - rude
Mamãe - mom / mum
Mamão - papaya
Mancha - stain
Manga - sleeve
Manga - mango
Manjericão - basil
Manteiga - butter
Manter - keep
Mão - hand
Máquina de lavar roupa - washing-machine
Maracujá - passion fruit
Marchand - art dealer
Margarina - margarine
Marido - husband
Marinheiro - sailor
Marisco - shellfish
Mármore - marble
Marrom - brown
Martelo - hammer
Mas - but
Massagista - masseur / masseuse
Matemática - mathematics
Mau - bad
Maxilar - jaw
Mecânico/a - mechanic
Meditação - meditation
Meia-calça - pantyhose / tights
Meias - socks
Meio ambiente - environment
Mel - honey

Melancia - watermelon
Melão - melon
Melhor - better
Menina - girl
Menino - boy
Menor de idade - minor
Menos - less
Mercearia - grocer's
Mês - month
Mesmo - same
Mesquita - mosque
Metade - half
Metro - meter
Meu/s / minha/s - my
Mexerica - tangerine
Mexilhão - mussel
Micro-ondas - microwave
Mídia - media
Milha - mile
Milho verde - sweetcorn
Mim - me
Mingau de aveia - porridge
Minigolfe - miniature golf
Míope - short-sighted
Missa - Mass
Misturar - mix
Mochila - backpack
Mochileiro/a - backpacker
Moda - fashion
Moderno/a - modern
Mola - spring
Moletom - sweatshirt
Molhado/a - wet
Molho de carne - gravy
Molho de soja - soy sauce
Monastério - monastery
Monge - monk
Monitor - monitor

Morango - strawberry
Morder / mordida - bite
Morrer - die
Morte - death
Morto/a - dead
Mosca - fly
Mosquito - mosquito
Mostarda - mustard
Mostrar - show
Móveis - furniture
Muçulmano/a - Muslim
Mudar - move
Mulher - woman
Multar / multa - fine
Muro - wall
Músculo - muscle

N

Namorada - girlfriend
Namorado - boyfriend
Namorar - date
Nariz - nose
Nascer do sol - sunrise
Natureza - nature
Necessário/a - necessary
Nervo - nerve
Neta - granddaughter
Neto - grandson
Netos - grandchildren
Nevasca - blizzard
Nó - knot
Noite de Natal - Christmas Eve
Noiva - fiancée
Noivado - engagement
Noivo - fiancé
Norte - north
Nós - we
Nosso/a - our

Notícia - news
Noz - nut
Nuca - nape (of the neck)

O

O/s - the
Oceano - ocean
Oceano Atlântico - Atlantic Ocean
Óculos - glasses
Óculos de natação - goggles
Odontologia - dentistry
Oeste - west
Oferecer / oferta - offer
Oficina mecânica - garage
Óleo - oil
Olho - eye
Ombro - shoulder
Omelete - omelette
Onça - jaguar
Ontem - yesterday
Ontem à noite - last night
Ontem à tarde - yesterday afternoon
Operador/a de telemarketing - telemarketing operator
Operário/a - worker
Orelha - ear
Orgânico/a - organic
Órgão - organ
Orvalho - dew
Ostra - oyster
Ou - or
Ouro - gold
Ouros - diamonds (game of cards)
Ovo - egg
Ovos mexidos - scrambled eggs

P

Padaria - bakery
Padeiro/a - baker

Padrasto - stepfather
Padre - priest
Página - page
Pai - father
Pais - parents
Palavra - word
Paletó - jacket
Pálido/a - pale
Palmito - hearts of palm
Pálpebra - eyelid
Pano - cloth
Panqueca - pancake
Pão - bread
Pão preto - brown bread
Pãozinho - roll
Papagaio - parrot
Papai - dad
Par - pair
Para - for / to
Parafuso - screw
Parecer - seem
Parede - wall
Parente - relative
Particular - private
Partido político - political party
Passado - past
Pássaro - bird
Passear - go for a walk
Passo - step
Pasta - briefcase
Pasta de dente - toothpaste
Pastilha para tosse - cough drop
Pato/a - duck
Paus - clubs (game of cards)
Paz - peace
Pé - foot
Pedaço - piece
Pedagogia - education

Pedalinho - pedal boat
Pedestre - pedestrian
Pedreiro - bricklayer
Peito - chest
Peito de frango - chicken breast
Peixaria - fishmonger's
Pele - skin
Pênis - penis
Pensão - guesthouse
Pepino - cucumber
Pera - pear
Perdoar - forgive
Perfeito/a - perfect
Pergunta - question
Perguntar - ask
Período - period
Perna - leg
Peru - turkey
Peruca - wig
Pesado/a - heavy
Pescador - fisherman
Pescar - fish
Pescoço - neck
Pêssego - peach
Pessoa - person
Piada - joke
Pijama - pajamas
Pilha - battery
Pimentão - pepper
Pior - worse
Pipoca - popcorn
Pirulito - lollipop
Pizza - pizza
Placa - sign
Planeta - planet
Planeta Terra - Planet Earth
Plugue - plug
Pobre - poor

Pobreza - poverty
Poesia - poetry
Polegada - inch
Polegar - thumb
Político/a - politician
Poltrona - armchair
Poluição - pollution
Polvo - octopus
Pombo - pigeon
Ponto de encontro - meeting point
Popular - popular
Pôr do sol - sunset
Porão - cellar / basement
Porcentagem - percentage
Porco - pig / pork
Porque - because
Praça de alimentação - food court
Prata - silver
Prateleira - shelf
Prece - prayer
Precisar - need / must / have to
Prefeito/a - mayor
Prefeitura - city hall / town hall
Preocupado/a - worried
Presidente - president
Presunto - ham
Preto/a - black
Primeiro/a - first
Primeiro-ministro / primeira-ministra - prime minister
Primo/a - cousin
Principal - main
Prisão - prison
Prisão de ventre - constipation
Procissão - procession
Procurar - look for
Produção - production
Produtor - producer
Produzir - produce

Professor/a – teacher
Profundo – deep
Programa – program
Programador/a de computador – computer programmer
Pronunciar – pronounce
Prostituto/a – prostitute
Protestante – Protestant
Próximo/a – next
Psicólogo/a – psychologist
Pular – jump
Pulga – flea
Pulmões – lungs
Pulseira – bracelet
Pulso – wrist
Purê de batata – mashed potatoes
Púrpura – purple
Puxar – pull

Q

Quadrado/a – square
Quadril – hip
Quadro – painting
Qualidade – quality
Qualificação – qualification
Qualquer – any
Quartel – barracks
Quase – almost
Queijo – cheese
Queijo parmesão – Parmesan cheese
Queixo – chin
Querido/a – dear
Quilo – kilo
Quintal – backyard
Quitanda – greengrocer's

R

Rabo – tail
Rainha – queen

Raios ultravioletas - ultra-violet rays
Raiz - root
Ralador - grater
Rapaz - boy
Raquete - racket
Raro/a - rare
Rato - rat
Rebocar - tow
Receita - recipe
Recheado/a - stuffed
Reciclar - recycle
Reclamação - complaint
Recorde - record
Recursos humanos - human resources
Recusar - refuse
Rede - hammock
Redondo/a - round
Reembolso - refund
Refeição - meal
Refugiado/a - refugee
Região - region
Regime - diet
Registro - stopcock
Regra - rule
Régua - ruler
Rei - king
Relacionamento - relationship
Relaxar - relax
Religião - religion
Relógio - clock / watch
Renda - lace
Repelente de insetos - insect repellent
Repolho - cabbage
Responder / resposta - answer
Ressaca - hangover
Resto - rest
Resultado - result
Revista - magazine

Rezar – pray
Rico/a – rich
Rim – kidney
Ritmo – rhythm
Rir – laugh
Risco – risk
Rocha – rock
Rodízio (de carne) – all-you-can-eat (barbecue)
Rolo – roll
Romance – novel
Romântico/a – romantic
Rosa – rose
Rosto – face
Rotatória – traffic circle / roundabout
Rótulo – label
Roupão – bathrobe / dressing gown
Roxo/a – purple
Rúcula – rocket
Ruim – bad
Ruína – ruin
Rum – rum

S

Sabão em pó – washing powder
Sabonete – soap
Sabor – flavor
Saca-rolhas – corkscrew
Saco de dormir – sleeping bag
Saco plástico – plastic bag
Saia – skirt
Sala de estar – living room
Sala de jantar – dining room
Salada de frutas – fruit salad
Salmão – salmon
Salsão – celery
Salsicha – sausage
Salsinha – parsley
Salto – heel (of shoe)

Salto alto – high heels
Santo/a – Saint
Sapo – toad
Sarampo – measles
Sardinha – sardine
Se – if
Século – century
Segundo/a – second
Seguro-saúde – health insurance
Seio – breast
Sela – saddle
Semáforo – traffic lights
Semana passada – last week
Semana que vem – next week
Sempre – always
Ser – be
Sexta-feira Santa – Good Friday
Sidra – cider
Silêncio – silence
Silêncioso/a – silent / quiet
Simpático/a – nice
Simples – simple
Sinagoga – synagogue
Sino – bell
Sinuca – snooker
Siri – crab
Só – just
Sob – under
Sobre – on
Sobrinha – niece
Sobrinho – nephew
Sofá – sofa
Sofrer – suffer
Sogra – mother-in-law
Sogro – father-in-law
Sol – sun
Soldado/a – soldier
Somente – only

Sonho - dream
Sorrir / sorriso - smile
Sorvete - ice cream
Sotão - attic
Sozinho/a - alone
Suar / suor - sweat
Suéter - sweater
Suficiente - enough
Sugerir - suggest
Sujo/a - dirty
Sul - south
Surdo/a - deaf
Surpresa - surprise
Sutiã - bra

T

Talheres - silverware / cutlery
Também - also / too
Tangerina - tangerine
Tapete - carpet
Tarde - late
Tartaruga - turtle
Teclado - keyboard
Técnica - technique
Técnico/a - technician
Tela - screen
Telhado - roof
Tem - there is / there are
Templo - temple
Têmpora - temple
Temporal - thunderstorm
Tendão - tendon
Tênis - sneakers / trainers
Tentar - try
Ter - have
Terceiro/a - third
Terminar / término - end / finish
Terno - suit

Terraço - terrace
Térreo - first floor / ground floor
Testa - forehead
Teto - ceiling
Tia - aunt
Tigela - bowl
Tímido/a - shy / timid
Tinta - ink
Tio - uncle
Tocar - touch
Todo - every
Toldo - sunshade
Tomada - socket
Tomate - tomato
Tórax - chest
Tornozelo - ankle
Torrada - toast
Torradeira - toaster
Torta - pie
Touro - bull
Trabalhador/a - worker
Tradição - tradition
Traduzir - translate
Trancar - lock
Tranquilo/a - quiet
Traseiro - buttocks / bottom
Trator - tractor
Trazer - bring
Tribunal - court
Tricotar - knit
Trigo - wheat
Trilha - trail
Trimestre - quarter
Triste - sad
Trocar - change
Truta - trout
Tubarão - shark
Tubo - tube

Tudo – everything
Tumor – tumour
Túmulo – grave
Túnel – tunnel

U

Úlcera – ulcer
Último/a – last
Ultrapassar – overtake
Ultrassom – ultrasound
Um/a – a / an
Unha – fingernail
Uniforme – uniform
Universo – universe
Urubu – vulture
Usar – use
Útil – useful
Uva – grape
Uva-passa – raisin

V

Vaca – cow
Vagão – carriage
Vagem – green bean
Vagina – vagina
Válido/a – valid
Valor – value
Vaso – vase
Vazar / vazamento – leak
Vazio/a – empty
Veia – vein
Veículo – vehicle
Vela – candle
Velho/a – old
Vendas – sales
Veneno – poison
Venenoso/a – poisonous
Verde – green

Verificar - check
Vermelho/a - red
Vespa - wasp
Véspera de Ano-Novo - New Year's Eve
Véspera de Natal - Christmas Eve
Vestido - dress
Veterinário/a - veterinarian / vet
Vez - time
Viaduto - overpass / flyover
Vida - life
Vidro - glass
Vigia - watchman
Violão - guitar
Violino - violin
Virar - turn
Vitamina - vitamin / smoothie
Vitela - veal
Viúva - widow
Viúvo - widower
Viver - live
Vodca - vodka
Votar - vote
Voz - voice

X

Xadrez - chess / checked
Xale - shawl

Z

Zangado/a - angry
Zelador - concierge / janitor
Zíper - zipper
Zona rural - countryside

About the author

Sobre o autor

Jack Scholes is English and has lived in Brazil for more than 30 years. He has a first degree in German and Russian from Liverpool University, a Post-Graduate Certificate in Education and EFL from London University, and he is also a Licensed Master Practitioner of Neuro-Linguistic Programming, having studied under Dr. Richard Bandler, the co-inventor of NLP.

He has over 40 years experience in the field of English Language Teaching in many different countries around the world including England, Germany, Nepal, Australia, Hong Kong, Taiwan, Uruguay, Chile, Argentina and Brazil. He is now a freelance writer, trainer and ELT specialist.

Jack has written many articles for national and international magazines and regularly contributes to New Routes magazine, of which he is also the editor. He is the author of *Guitar Glory* (Saraiva), *Inglês para Curiosos* (Papier), *OK! Curiosidades divertidas do inglês* (Campus), *Slang – Gírias Atuais do Inglês* (Disal Editora), *Modern Slang* (Disal Editora), *Slang Activity Book* (Disal Editora), *Gems of Wisdom* (Disal Editora), *Break the Branch? – Quebrar o Galho* (Disal Editora), *Why do we say that? – Por que dizemos isso?* (Campus / Elsevier), *The Coconut Seller* (Helbling Languages), and *Inglês Rápido* (Disal Editora). He is also co-author with Jane Revell of *Sucesso nos Exames* (Disal Editora).

Este livro foi composto nas fontes Klavika e Dolly
e impresso em março de 2014 pela Orgrafic Gráfica e Editora Ltda.,
sobre papel offset 90g/m².